JULIÁN MARÍAS

de la Real Academia Española

CONSIDERACIÓN

——— DE ———

CATALUÑA

Editorial Acervo
Julio Verne, 5-7 • Tel. 212 26 64
08006 Barcelona

Diseño cubierta:
JOSÉ A. LLORENS PERALES

Mapa cubierta:
Principauté de Catalogne et Partie du Roussillon
D. de la Feuille (1706)
Cedida la reproducción por
Llibreria Antiquaria Delstre's

© Julián Marías

Derechos de edición y venta reservados
para todo el mundo.
© Editorial Acervo, S.L., 1994

ISBN: 84-7002-456-6
Depósito legal: B-32.919-1994

Impreso en España

Libergraf, S.L. - Constitució, 19 - 08014 Barcelona

PRÓLOGO

Este libro va a cumplir tres decenios. Su origen son quince artículos publicados en El Noticiero Universal de Barcelona, dirigido por el admirable periodista José María Hernández Pardos, entre el 28 de octubre y el 9 de diciembre de 1965. En 1966 se publicaron en forma de libro, con un «Epílogo a manera de diálogo» (Aymá Editora, Barcelona). Esta editorial publicó una segunda edición en 1974. Por otra parte, el libro apareció, junto con Nuestra Andalucía, en la colección El Alción (Revista de Occidente), y en el volumen VIII de mis Obras, en esta misma editorial.

Han pasado muchos años y muchas cosas, pero reimprimo el libro sin cambiar una sola palabra. Creo que su mayor interés reside en su fecha. Si no me equivoco, los artículos y el libro que los reunió fueron el primer planteamiento a fondo de una serie de asuntos que pedían imperiosamente ser tratados. Por lo visto, fue menester esperar a que yo lo hiciera, a pesar de que mis medios eran bastante reducidos. Quizá me movió una reflexión que me he hecho muchas veces, a lo largo de los ochenta años de mi vida, ante cuestiones apremiantes y no tratadas: ¿Por qué no yo?

Los artículos primero, el libro después, suscitaron multitud de comentarios; algunos públicos, la gran mayoría privados, en forma de cartas. *Entre ellas dos de Josep Tarradellas: la primera, como Presidente de la Generalidad en el exilio, dirigida a J.B. Cendrós, director de Aymá, a raíz de la publicación del libro; la segunda, a mí personalmente, en 1977, cuando era Presidente de la Generalidad en ejercicio. Creo que el haberse hablado desde 1965, en medio de un silencio casi total, de Cataluña y sus problemas, ha contribuido a que se siga haciendo y a que exista la posibilidad de tratar de ello con libertad y civilizadamente.*

Pero lo más interesante, lo que me mueve más a reimprimir este libro, es que veo en él una imagen de Cataluña y de España entera con bastante contenido concreto y un amor constante. En los últimos años predomina la abstracción en la mayor parte de lo que se escribe. El esquematismo, las posiciones previas, sin apenas contacto con la realidad, son demasiado frecuentes. Se habla de muchos asuntos de manera convencional, sin que aparezca por ninguna parte la realidad concreta, viva, palpitante, que hay por debajo de nombres y fórmulas.

No es el caso de este pequeño libro, lleno de Cataluña, de su realidad física, de sus paisajes, sus monumentos, sus ciudades, sus gentes, sus lenguas, su cultura, sus deseos, su manera de vivir y de entender las cosas. No se podría sustituir en sus páginas el nombre «Cataluña» por ningún otro, como es tan frecuente hoy. Nacido de una experiencia viva y de una reflexión veraz, forma parte irrenunciable de mi bio-

grafía. En el tomo II de mis memorias, Una vida presente, *cuento la historia de este pequeño libro, de sus vicisitudes en tiempos difíciles, cuando todavía existía una censura que nunca acepté, y muy especialmente para hablar de Cataluña. Pero existen otras, menos públicas, no reconocidas, acaso más eficaces. Por eso agradezco a la Editorial Acervo la nueva publicación, precisamente en Barcelona, de este libro ya antiguo, que podrá ser leído por los que no pudieron hacerlo cuando se escribió.*

JULIÁN MARÍAS

Madrid, 31 de agosto de 1994.

1

OJOS QUE VEN, CORAZÓN QUE SIENTE

Siempre que veo un cuadro o un viejo grabado que representa una ciudad antigua, de cualquier parte del mundo, me sorprende la diferencia con una fotografía o con la visión efectiva de un fragmento cualquiera del mundo actual: la imagen moderna está llena de letras; el mundo en que vivimos hoy muestra por todas partes carteles, letreros, textos; es un mundo *escrito;* ver es hoy muy principalmente leer; la ciudad antigua, en cambio, mostraba sólo formas: arquitectónicas, ornamentales, utilitarias: calles, tejados, ventanas, balcones, fuentes, tiendas, columnas, torres, cúpulas, espadañas, escudos; éstos eran lo más parlante de la ciudad, los que más pretendían «decir» cosas; y para eso las decían simbólicamente, con leones, águilas, árboles, murciélagos, puentes, barras, cadenas, barcos, conchas, medias lunas, qué sé yo. La transición hacia la modernidad la dan las muestras de los vendedores, que no en vano representan el nacimiento de la burguesía y el capitalismo: las insignias de los gremios, escudos del estado llano, se van haciendo explícitas; poco a poco, a la muestra visual e intuitiva, buena para los que no saben leer —la bacía de barbero, la bota, la trompeta, la llave—, va acompañando la leyenda escrita: el nombre de la hostería o la posada, el cartel gótico: «Aquí se venden libros.» A medida que los hombres han ido aprendiendo a leer, ha ido siendo imposible vivir de otra manera que leyendo.

Todo lo humano tiene graves consecuencias. Lo malo que tienen las letras es que expresan, en palabras fijas, terminantes, las cosas. En realidad, todo es más o menos, poco más o menos, algo más de lo que se piensa. Nada es enteramente así, y todo tiene varias caras. Las palabras, sobre todo las palabras escritas, lo reducen todo a una fórmula taxativa, precisa, fija, moneda acuñada que rueda sin parar. El mundo, cubierto de carteles, traducido en signos, va siendo cambiado cada vez más por esos signos, suplantado por ellos. Cuando Platero ha muerto, una amiga regala a Juan Ramón Jiménez un borriquillo de cartón, un «Platero» de cartón; y al cabo de poco tiempo, Juan Ramón confiesa al recuerdo de su borriquillo que el Platero de cartón le parece más Platero que él mismo, que el de verdad. Vamos pensando en fórmulas, olvidando la realidad compleja, matizada, cambiante, contradictoria, para explicar la cual esas fórmulas fueron pensadas. Cada nombre es el enunciado de un problema; propendemos a tomarlo como una solución.

Ese mundo.de carteles y etiquetas, de rótulos y *slogans*, de abreviaturas simplificadas, de abstracciones, es un mundo seco y pobre, sin jugo ni aliento; es también un mundo peligroso, que dispara nuestra opinión, nuestra acción —y acaso un día nuestros cañones o nuestras bombas atómicas— de manera simplista y casi automática: ¡es tan fácil disparar contra un cartel! Tan fácil como es difícil disparar contra un hombre *imaginado*, visto por dentro, como otro yo.

Si a esto se añade la formación de grandes unidades sociales y la facilidad de las comunicaciones, la capacidad de simplificación aumenta. Se cruza España en poco más de una hora, el Atlántico en seis, el Pacífico o Asia en pocas más, se da la vuelta al mundo en menos de veinticuatro. ¿No es fácil la tentación de pensar que España, Europa, América o el mundo son «poca cosa»? Cuando el pie se pegaba a la piel del planeta, cuando cada paso costaba un esfuerzo, un riesgo, un dolor, no se podía pensar así: todo rebosaba realidad y riqueza; no había manera de «pasar nada por alto». Decimos «España» y terminamos pronto. Tengo ante mis ojos la Real Cédula que introduce la *Novísima Recopilación*, con la enumeración de los títulos de los reyes españoles: «Don Carlos por la gracia de Dios, Rey de Castilla, de León, de Aragón, de las dos Sicilias, de Jerusalén, de Navarra, de Granada, de Toledo, de Valencia, de Galicia, de Mallorca, de Menorca, de Sevilla, de Cerdeña, de Córdoba, de Córcega, de Murcia, de Jaén, de los Algarbes, de Algecira, de Gibraltar, de las Islas de Canaria, de las Indias Orientales y Occidentales, Islas y Tierrafirme del mar Océano; Archiduque de Austria; Duque de Borgoña, de Brabante y de Milán; Conde de Absburg, de Flandes, Tirol y Barcelona; Señor de Vizcaya y de Molina, etc.» ¿Es lo mismo? Aunque descontemos unas cuantas partidas que la historia se ha encargado de mermar, la riqueza de la segunda enumeración es impresionante. Habría que hacer de nuevo que el nombre de España estuviera henchido de la variedad, riqueza y abundancia de sus elementos integrantes, que no se tomara nunca en vano, o sea en hueco.

* * *

Siento avidez por ver el mundo, por saturarme de realidad. Cada vez estoy menos dispuesto a cambiar las cosas por sus nombres. Entendámonos: los nombres son maravillosos; pero lo son como conjuros, como fórmulas de encantamiento que sirven para evocar las realidades, para hacerlas presentarse ante nosotros. No quiero contentarme con los nombres o poco más, con las pobres y toscas nociones que se adhieren a ellos y suplantan aquello que nombran. Por eso, cada vez que pongo los ojos larga, morosamente en un trozo del mundo, como cuando logro ver, por fuera y por dentro, a una persona individual, siento un enriquecimiento, un henchimiento, una agradecida felicidad. Ahora le ha tocado a Cataluña.

Siempre había ido de Madrid a Barcelona. Ahora no. Ahora he ido de Soria a Cataluña, a las muy varias, ricas y diversas Cataluñas, y sólo al cabo de algunos días he ido a parar a una de ellas, que es precisamente Barcelona; y de ésta he vuelto a partir hacia otras Cataluñas diferentes. También podría ahora henchir ese nombre único, Cataluña, con la enumeración de sus comarcas.

Al hacerlo, se ve que no se puede uno quedar quieto, estático, en una sola imagen; la Cataluña plural está, por eso mismo, en movimiento; no hay fórmula que la agote; Cataluña es esto, y eso, y aquello, y lo de más allá; ni desde fuera ni desde dentro se la puede pinchar sobre una placa de corcho, como si fuera una mariposa disecada, y ponerle un letrero debajo.

«Ojos que no ven, corazón que no siente», dice un viejo refrán. Cerrando los ojos, anestesiando el corazón, estrechando la mente, se han hecho casi todas las maldades, las vilezas, las estupideces de la historia. ¿Por qué no invertir el refrán? Digamos más bien: «Ojos que ven, corazón que siente.» Dejemos que la realidad entre por nuestros ojos, tal como es, no como «debe» ser o hemos convenido que sea; tengamos holgura y veracidad; entonces nuestro corazón empezará a sentir; y lo primero que siente el corazón no es forzosamente ternura, sino avidez de posesión: todo lo que en el verbo «querer» ha encerrado la lengua española: buscar, afirmar con la voluntad, echar de menos, amar. El corazón que siente no renuncia a la realidad que ha visto, que ha visto con los ojos, y no deja que se la escamoteen; la busca celosamente, la apresa, la hace suya, la mira y remira, la considera. Vamos a intentar una consideración de Cataluña.

* * *

La palabra «consideración» viene de *sidus;* y esta palabra latina quiere decir «estrella»; pero, a diferencia de *stella,* que es la estrella aislada y solitaria, *sidus* significa la estrella unida con otras, componiendo una figura, y por eso se emplea sobre todo en plural, *sidera*, un grupo de estrellas, una constelación. «Considerar» era originariamente observar las estrellas, y buscar en ellas el augurio, el destino de las cosas; y de ahí mirar de cerca, atenta, cuidadosamente, inspeccionar, examinar, contemplar. Y como cuando algo se mira bien, en su realidad y dándole lo suyo, se lo mira «con miramiento», consideración quiere decir también estimación y respeto. Y con ello volvemos, trazando un círculo, a esa manera de mirar que es la que hace sentir al corazón.

Cuando pongo el pie en una comarca, región, país, en todo lo que significa una cierta personalidad colectiva, una forma de vida, no puedo evitar una emoción. Siento que estoy penetrando en un «dentro», y esto quiere decir una intimidad. La palabra circunstancial «aquí» adquiere un nuevo sentido. Y en la medida en que ese «aquí» es también nuestro, al penetrar en él estamos modificando aquel en que estábamos ya instalados. Lejos de instalarnos en un mundo plano, sin relieve, abstracto, espectral, intentemos la articulación coherente de todos los «aquí», del más vasto con que designamos «este valle de lágrimas» —correlato de la «condición humana»— al más angosto y entrañable en que pensamos al tocar nuestro pecho con la mano, simbolizando así la intimidad de nuestra morada interior.

Cada uno en su sitio, en constelación con las demás realidades, que ayudan a ser a cada una, que la hacen inteligible, porque ninguna se entiende sin las demás. Pero no nos engañemos: cada intimidad, cada forma

14

de vida, por próxima que sea, es un misterio, un arcano; si se prefiere, un secreto de familia. Lo es Andalucía, lo es Castilla, lo es, y en qué medida, Cataluña. De esos secretos compartidos —hasta donde es posible— estamos hechos todos. Pero, ¿cómo se pueden penetrar? La empresa es descorazonadora.

Pero se olvida que esa misma vida misteriosa y oculta, que se esconde por su propia condición, al mismo tiempo se manifiesta sin remedio. ¿Dónde? En los gestos, en las palabras, en la entonación y la manera de decir, en las formas arquitectónicas y urbanas, en el mismo paisaje —se entiende, en lo que los de aquí, de cada «aquí», hacen con la impersonal naturaleza, en la forma de mundo que cada grupo y cada clase de hombres elabora con la circunstancia dada—. Si miramos bien, nos encontraremos inesperadamente «dentro». Y cuando después digamos «nosotros», sentiremos que se ha dilatado un poco nuestra vida.

2

LEJOS DE MADRID

Me he adentrado profundamente en Cataluña, en varias direcciones, viniendo de Castilla y pasando por tierras de Aragón. En poca distancia geométrica, se cambia tantas veces de paisaje. La geografía no tiene que ver demasiado con la geometría; tiene mucho más que ver con la historia. La variedad de España es multiplicidad; y esto puede ser riqueza, fertilidad, esplendor, si esas facetas se van sumando y conservando; si se evitan las dos tentaciones capitales: la inerte pasión por la homogeneidad, la incoherente fragmentación; la mirada con que contemplemos a España no puede ser ni una apisonadora ni un ojo de mosca tallado en mil facetas inconexas: hace falta una pupila abarcadora, ascética y sensual a un tiempo, capaz de comprender las grandes líneas estructurales y detenerse morosa, amorosamente, en el relieve minucioso del gran cuerpo español, en el primor de sus miembros.

Antiguamente se tenían imágenes complejas de España; es cierto que la angostura económica y la dificultad de las comunicaciones hacían que el país fuera menos transitado que hoy, pero se pensaba con relieve singular en las regiones, en las provincias —a pesar de su indudable convencionalidad—, en las comarcas. Esas imágenes, apenas hace falta decirlo, eran toscas, aproximadas, con frecuencia tópicas; y aunque con un núcleo inicial de verdad, hace mucho que fueron falsas; eran, en suma, insuficientes; pero lo grave es que no han sido sustituidas. Cada región, comarca o ciudad, se asociaba con unos cuantos rasgos: un paisaje, una pareja con «trajes típicos», algunos monumentos, un escudo, un catálogo de producciones, un esbozo de «psicología local» o carácter de los habitantes, una lista de «hijos ilustres». Todo ello era inexacto, burdo, elemental, acaso infantil; pero, ¿es mejor su ausencia? Hay en España muchas cosas deficientes, que en cierto momento cumplen, mal que bien, su función, aunque se tenga conciencia de que no bastan. ¿Y después? Después se pierden o se olvidan, pero no se sustituyen, y ni siquiera se conserva algo que fuera su equivalente. El *Diccionario geográfico-estadístico-histórico* que compuso a mediados del siglo pasado Don Pascual Madoz era sin duda defectuoso, pero cuando hoy manejamos sus dieciséis grandes volúmenes nos maravilla su información, porque la nuestra sobre España es absolutamente incomparable con la que se poseía hace siglo y cuarto, y no hay medio alguno de saber sobre nuestro país nada que se aproxime a lo que, con modestos recursos, consiguió allegar Madoz. ¿No ocurrirá algo análogo con esas imágenes que empezaban a actuar en la mente de los españoles tan pronto como se pronunciaba un nombre geográfico?

La riqueza consiste principalmente en su posesión

efectiva y no abstracta, y en la actualización de sus posibilidades para realizar proyectos. El único gesto relativamente simpático del avaro es el que tiene cuando contempla y acaricia sus onzas de oro; y el dinero sólo vale al gastarlo. Con la riqueza que es un país ocurre lo mismo: la abstracción, el olvido de la realidad concreta, es ya un empobrecimiento. ¿Cuántos españoles tienen presente la multiforme, casi inagotable realidad de España? ¿Cuántos tienen conocimiento, imaginación y holgura para recorrerla, transitarla, enumerarla, poseerla? Y lo que es más accesible —y a última hora todavía más importante—, para repasarla en la imaginación y el deseo, para «contar con ella», para soñarla. ¿Cuándo aprenderemos a hacer, aunque sea mentalmente, *le tour du propriétaire*, en lugar de dejar España reducida a un rótulo o muy poco más?

Esto pensaba al recorrer las carreteras de Cataluña, al salir de Soria —«entre Urbión el de Castilla/y Moncayo el de Aragón»— para entrar en Tarazona, con su plaza de toros hecha viviendas, su ciudad alta y soberbia, su catedral, donde unos niños trepan por la figura espigada de la Virgen y el de más alto pone un beso en su rostro; al cruzar los Monegros desolados y entrar en las huertas de frutales del Cinca, al pasar de Huesca a Lérida y de Lérida a Huesca, en las fronteras del catalán, que empieza a sonar ya en Fraga, y remontar el valle del Cinca, con sus pueblos puestos entre el río y el murallón vertical de la tremenda sierra adusta, hasta Alcolea de Cinca, donde nació mi padre. Y luego hacia el norte, hasta los Pirineos, por tierras leridanas de frutales, Nogueras, embalses, saltos de agua, maravillosas torres románicas de Erill Avall, Bohí, Tahull, pueblos grises, negruzcos, que se van enrojeciendo, pasada la Bonaigua, entre Sort y la Seo de Urgel.

¡Qué hermosura de la tierra catalana! Pensamos casi siempre en Barcelona, que es una egregia ciudad, pero empezamos a sentir contra ella un rencor: que con tanta frecuencia nos oculte y esconda Cataluña. Barcelona es Cataluña, pero Cataluña no es en modo alguno Barcelona; más aún: no se parece a ella —como los Estados Unidos no se parecen a Nueva York—; y esto con extraño rigor: no hay nada en Cataluña, ni siquiera las ciudades próximas a Barcelona, que tenga semejanza con la capital. Y esto me parece tan revelador e interesante, que otro día intentaré exprimirlo un poco, a ver si da unas gotas de conocimiento.

* * *

¿Qué quiere decir estar en España? Esa preposición no tiene una significación única e invariable, sino circunstancial, ocasional; como todo lo humano, tolera «modos deficientes» y reclama modos plenarios. Estar en España debería querer decir dos cosas: estar actuando sobre toda España, presente en toda ella; y estar recibiendo su influjo, al menos en la forma de «contar con ella» en su integridad. Podríamos establecer con arreglo a este criterio una jerarquía de las formas y los grados de estar en España; temo que el resultado sería casi siempre —conste, casi siempre, no excepcionalmente— insatisfactorio. Dicho con otras palabras: las partes de España no se están lo bastante presentes unas a otras, sino que aparecen borrosas, si no olvidadas, y cuentan unas con otras —cuando lo hacen— de una manera vaga y genérica. Cada una de ellas está atenida a sí misma; a lo sumo, a sí misma y a la totalidad; pero no a la pluralidad jugosa y concreta de sus componentes. Sólo alguna región, ciertas grandes ciudades, otras menores pero por alguna razón descollantes, se adelantan y se imponen a la atención general. Enormes porciones, o innumerables porciones pequeñas de la tierra española, si se prefiere, quedan aisladas, perdidas, inertes.

Andando por tierras de Lérida, de Gerona, me he sentido muy lejos de Madrid; no sólo porque en Madrid estas tierras no «consten», no hagan suficiente acto de presencia, no sean tenidas adecuadamente en cuenta, sino todavía más porque ellas sólo mínimamente están vueltas a Madrid: para recibir de él estímulos, para influirle, para exigir. Y advierto que no me refiero primariamente a Madrid como sede del Estado —no estoy dispuesto a creer que lo estatal es lo decisivo—, sino a su realidad social íntegra.

Esto, claro es, no es privativo de estas tierras que ahora he recorrido: tanta Castilla, tanta Extremadura, tanta Andalucía, tanta Galicia están lejos de Madrid. Y no digamos si nos preguntamos por las distancias entre estas comarcas y regiones: salvo algunas líneas de referencia privilegiadas, determinadas por un factor histórico o económico, por la exportación o la trashumancia, las distancias entre partes de España son astronómicas. ¿En qué medida cuenta Cáceres en Gerona, Lérida en Álava, Orense en Huesca? Cuando un español dice «nosotros», ¿siente henchírsele el pecho con la compañía activa, fraternal, polémica, exigente de todo lo que hay dentro de España? ¿No somos todos españoles al diez o al veinte por ciento? ¿Basta con llenarse la boca con seis letras y gargarizar? Y, sin embargo, no nos engañemos: borrosamente, sin relieve, empobrecida de detalles, como ante una mirada miope, ahí está, actuando incontrastablemente sobre todos, de manera casi obsesiva, la enorme mole histórica de España.

* * *

Habrá que preguntarse un poco en serio cómo está presente España sobre todos sus miembros; más en concreto, cómo es vivida en Cataluña. Porque la «distancia» social, histórica, humana no es una simple distancia lineal; quiero decir que no puede medirse, o en todo caso no puede medirse con una sola unidad. Dos ciudades, comarcas o países están lejos o cerca en diversos respectos; se conocen o se ignoran según las dimensiones de la vida; se relacionan o se olvidan según las flechas de los proyectos vitales. ¿Y esa forma de estar lejos que es «sentirse lejos», «creerse lejos»? ¿No será quizá la forma de lejanía más propia de Cataluña?

Los signos de interrogación son frecuentes, van a serlo aun más, en estos artículos. Porque lo que he hecho en Cataluña ha sido sobre todo preguntarme. Primero a solas, tratando de formular las cuestiones,

24

de verlas claras como problemas. Después, públicamente, en la plaza mayor que es un periódico, para que esas mismas preguntas suenen y puedan ser contestadas por otros, sobre todo por los catalanes. Yo quisiera suscitar respuestas: que me ayudaran a entender lo que no comprendo, a aclarar lo que me parece oscuro, a confirmar o desmentir las hipótesis y conjeturas que son el modesto resultado de mis preguntas solitarias. Si a mis preguntas se contesta con otras, acaso empecemos a estar en camino de ver las cosas claras.

No me podré arrancar de la memoria las imágenes de muchas comarcas catalanas: la belleza, la intensidad, la finura del paisaje y las gentes, las huellas en piedra de una historia viejísima, las voces distintas y fraternas, que se ofrecen como una posibilidad más, la tierra bien labrada. Es también una gran delicia, rodar por los caminitos de Cataluña. Pero no puedo menos de pensar: ¡qué lejos de Madrid! Y en seguida, después de un momento de reflexión: ¡Y qué lejos de Barcelona!

3

«AMB LA PAU VOSTRA A DINTRE DE L'ULL NOSTRE»

Los grandes escritores, los poetas sobre todo, los hombres capaces de estilo, sorprenden los secretos de la realidad, los encierran en unas cuantas palabras, en un verso, en una frase armoniosa, en una metáfora. Pero resulta que, a su vez, esa expresión literaria no se abre, por decirlo así, no se manifiesta o se hace transparente hasta que una intuición de realidad le devuelve toda su significación; entonces, el verso, la frase en prosa, se ponen a irradiar, y gracias a ellos comprendemos, dominamos ese fragmento de mundo para el cual se habían hecho e imaginado. Alguna vez he recordado que a los veinte años, cuando estuve por primera vez en Córdoba, comprendí los versos de Lorca,

la noche se puso íntima
como una pequeña plaza,

que fueron desde entonces para mí como una llave para entender las plazas andaluzas.

Ahora, andando por la tierra pirenaica de Lérida, ha empezado a rondarme la memoria un verso de Maragall, el segundo de su maravilloso «Cant espiritual», que empieza, como todos los catalanes saben —o así lo espero—, así:

Si el món ja és tan formós, Senyor, si es mira
amb la pau vostra a dintre de l'ull nostre,
què més ens podeu dar en una altra vida?

«Amb la pau vostra a dintre de l'ull nostre», «Con vuestra paz dentro de nuestros ojos». ¿Qué quiere decir esto? ¿No es sorprendente ese verso admirable? Cualquiera diría «vuestra paz dentro de nuestro pecho», o «de nuestro corazón», o quizá «de nuestra alma»; pero ¿de nuestros ojos, «de nuestro ojo», en catalán? ¿Es que puede residir precisamente en los ojos la paz, la paz de Dios?

Pienso que Maragall debió sentir que se le forjaba ese verso en los Pirineos, acaso «en una vall del Pirineu molt alta». Hay una honda, silenciosa, entrañable paz en las tierras del Pirineo de Lérida; y es una paz visual, una paz que está, sí, en los ojos. Desde Escales hasta el Valle de Arán, y luego hacia el Este, por la Bonaigua, Llavorsí, Sort, hasta la Seo de Urgel, y en las zonas intermedias, a trasmano, de «bellesa molt recóndita», de Erill Avall, Bohí, Tahull, hay una de las zonas más hermosas que he conocido —y he conocido buena parte del mundo—. El mundo es, efectivamente, tan hermoso. Las formas del suelo son a la vez enérgicas y dulces; hay un verdor en los montes que endulza la roca sin ocultarla; los valles se abren, anchos, vivideros, en horizon-

30

tes dilatados que no oprimen ni sofocan el alma: lo suave no quita a lo grandioso, podrían decir. Ruedan las aguas desde las cumbres, libres o dominadas por la industria; los picos se hacen gestos en la altura. Hay enormes espacios, pero no hay soledades; la tierra está habitada; a la distancia que alcanza la vista, pueblos, mínimos pueblos montañeses, pueblos mayores en que empieza a latir la vida urbana de Cataluña. Es una de las tierras del románico. Yo no sé bien qué tiene el románico, que entra tan hondo en nuestra sensibilidad. Admiramos muchas cosas; cuando tropezamos con una iglesia románica, con un ábside modesto, con una bóveda humilde, con una de esas torres que no se elevan, sino nos hacen subir a nosotros, sentimos que se abre un reducto esencial donde nos instalamos. No sé qué «traslación» ideal ejecuta el románico sobre nosotros; no sé qué interioridad crea para alojarnos; porque lo grave es que no se trata de los interiores de los edificios: las construcciones románicas, por fuera, definen también una extraña interioridad: estamos dentro, no del edificio, sino de un «ámbito» donde viene a albergarse nuestra vida. No sé si podría descubrirse algún fundamento arquitectónico a esta vivencia que intento describir; yo pienso que el románico, por su misteriosa simplicidad, por su autenticidad inevitable e intrínseca, descubre la estructura del alma colectiva que lo creó, y es esa justamente la interioridad que nos aloja. Ante un ábside o una torre sentimos que se conjura el alma del siglo XI, del siglo XII, y a ella nos vamos a vivir provisional pero irremediablemente.

Yo encuentro que estas tierras del Pirineo catalán son tierras románicas; quiero decir que el paisaje es también románico, que hay una misteriosa «congenialidad» entre la tierra y la forma de arte que allí floreció. Cuando se descubre desde lejos la torre prodigiosa de Erill Avall, cuando se columbra, a media altura, la de San Clemente de Tahull, se siente que no son simplemente un añadido, sino la culminación, la plenitud, yo diría el *cumplimiento* del paisaje. En otras palabras, la realización del *paisaje histórico*.

Ahora empezamos a comprender. En esa interioridad del paisaje y la arquitectura y la vivienda y el rebaño innumerable que entra en Bohí al caer la noche está la paz; en esa intimidad donde la vida entra, se aquieta, se remansa. Pero esa paz es visual; lo que hemos hecho para contemplarla ha sido mirar, de monte a monte, de monte a valle, hacia abajo, de valle a monte, escalando con la mirada; en sucesivas dilataciones y contracciones, apoyándonos en los campanarios de las iglesias. Es una paz que está dentro de los ojos.

* * *

¿Es que se cree que el hombre hace siempre lo mismo? ¿Por ventura mira siempre igual? Hay tierras en que el hombre ejercita primariamente su olfato, en que vivir es oler; hay parajes en que sobre todo se escucha; en algunos las cosas están tan cerca, que no se hace más que usarlas, y apenas queda holgura para mirar. En esta Cataluña —como en Castilla— la primacía de la mirada se impone. Aquí con más reposo, más paz, menos tensión exaltada que en Castilla.

Yo imagino, en estos valles pirenaicos, desde hace mil años, formas de vida silenciosa y pacífica, hecha de largas ojeadas tranquilas, de ojos transparentes que saben esperar. La llanura hace marchar, pone en movimiento, remite a lejanías; la montaña se sedimenta en sus valles, se confina, hace «quedarse». Se imagina una lentísima decantación de las almas. Me gustaría conocer la forma interna de vida de estos catalanes. Pero habría que quedarse también. ¿Cuántos lo hacen? Los veo instalados en una configuración que probablemente ha cambiado muy poco desde que se levantaron estas iglesias. Ya sé, ya sé que el mundo es bien distinto, y que la vida humana cambia sin parar; pero no hay que olvidar tampoco lo que permanece: *eadem sed aliter,* lo mismo, sólo que de otra manera; no nos saltemos esa manera nueva, esa variación que no se cansa de ensayar; pero no echemos en olvido esa «mismidad» que permanece y va buscando sus nuevas maneras por la historia.

Si alguna vez queremos echar una ojeada a ese «dentro» que es Cataluña, no perdamos de vista la manera como germinó esa manera peculiar de vivir, de sentir la realidad, de proyectarse, de recogerse, de quedarse en sí misma; tratemos de reconstruir los latidos originarios de lo catalán, conservados quizá mejor que en parte alguna en estos ademanes de piedra, montes o torres. Yo sugeriría una «introducción románica a Cataluña».

No sería quizá mala táctica. Porque estos pueblos de

montaña, grises, casi negros, recogidos en sí mismos, con aires de pocas palabras, que probablemente serán «unas pocas palabras verdaderas»; estos pueblos que al ir hacia levante, camino de la Seo de Urgel, van cambiando, se van haciendo algo más duros, más secos, aún más expresivos, un tantico menos «europeos», y cuya piedra se va volviendo roja; estos pueblos del Garona o de las Nogueras, unos rodeados de bosque y pastos, otros con amenazas de páramo; estos pueblos de Cataluña, tan fuertemente definidos, tan personales, no son los únicos pueblos románicos. El románico es... de la Romania; y este nombre que parece geográfico es, entre todos los nombres de la geografía europea —y quizá de toda la geografía— el más histórico: es el nombre de una historia. A una buena porción de la tierra occidental del viejo continente le pasó Roma; le aconteció ser romana, y luego dejar de serlo, fermentar de mil maneras distintas, todas ellas románicas, romances; le pasó dividirse y unirse y enlazarse y entrelazarse por el amor y el comercio y la guerra; dialogar y no entenderse; verterse en lenguas distintas y traducirse de unas en otras; le pasó ser Europa, y luego ser España, Portugal, Francia, Italia; y siempre Romania.

Por eso hay muchas tierras románicas. Muchas, románicas. Esta es la clave. Vengo de Soria, otra tierra románica: Santo Domingo, San Juan de Rabanera, San Baudelio de Berlanga, hasta las mínimas iglesias de las aldeas extraviadas en las tierras asperísimas. Y hay tantas otras. Hay diferencias de estilo, de contorno, de intención, difiere también lo que ha pasado después, la suerte que han corrido, porque la historia no se detiene. Y los nombres, que no suenan igual: no es lo mismo Tardelcuende, Araviana, Vozmediano, Hinojosa, Oncala, que Tahull, Bossost, Pallerols. Si la lengua es la primera interpretación de la realidad, si es la instalación radical en el mundo, tenemos que considerar esta toponimia. La vida suena de manera diferente según la decimos; y eso que decimos es a la vez lo que «quiere decir». Cuando recitamos —y para mí tiene siempre no sé qué de oración— el rosario de nombres de un itinerario, sentimos que no se trata sólo de geografía. Esos nombres nos van diciendo una historia: lo que ha ido pasando, lo que se ha ido haciendo; pero es también geografía, y esto significa una realidad que está ahí; lo cual, con otras palabras, equivale a decir que la historia sigue y no ha terminado nunca: en esos nombres está lo que ha pasado y lo que va a pasar.

4

LAS LENGUAS DE CATALUÑA

Desde antes de entrar en Cataluña empieza a sonar el catalán en los oídos: apenas se cruza el Cinca, ya en Fraga; más al norte, a lo largo de la provincia de Huesca, se oye hablar en catalán; en algunos pueblos, como en Benabarre, conviven el romance de Aragón y el romance de Cataluña; por razones distintas, esta situación perdurará muy dentro de las tierras catalanas, porque las fronteras histórico-sociales no son las de la geografía. En todo caso, sólo ocasionalmente se deja de oír el catalán en la espontaneidad lingüística de la región; no cabe duda de que la primera instalación en el habla del hombre de Cataluña es la lengua catalana.

No es posible estar en Cataluña sin advertir su condición lingüística peculiar. No se puede entenderla si no se tiene en cuenta; y esto quiere decir que no cabe imaginar el futuro de Cataluña sin partir de esa condición. Lo grave es que tan pronto como se han escrito estas palabras, si no se tiene demasiada inclinación a dejar las cosas en estado de nebulosa, hay que preguntarse: Bueno, pero ¿en qué consiste esa condición? Voy a intentar representármela con alguna claridad.

He dicho que la primera instalación lingüística de Cataluña es el catalán. Que *pudiera* no haber sido así, ¿quién lo duda? Que hubiera sido mejor de otra manera, es cuestión de opiniones, demasiado compleja y que no hace al caso. Que sea siempre así, es asunto profético y demasiado expuesto al error para que valga la pena hacer conjeturas. Cuando se habla de Cataluña, unos y otros tienen demasiada tentación de hablar del pasado; demasiada, porque el pasado *condiciona* la realidad presente, y con ello el futuro, pero no los *determina*, y por consiguiente con la apelación a él no se ha hecho más que empezar. Pero lo inadmisible es que se pretenda explicar nada, no por lo pasado, sino por lo que no pasó, aunque quizá hubiera podido pasar. Mientras esto no se vea claro, temo mucho que no salgamos a la luz en que los problemas, lejos de ser un contratiempo enojoso, son un estímulo y una promesa de fecundidad.

La palabra que suele surgir cuando se habla de Cataluña es «bilingüismo»; pero es una palabra equívoca, como alguna vez he apuntado, y con la que ocurre una confusión pareja a la que el uso suele proyectar sobre las palabras «bimensual» y «bimestral»: bimensual es lo que acontece dos veces al mes, bimestral, lo que sucede o aparece cada dos meses. Análogamente, bilingüismo puede querer decir dos cosas enteramente distintas: que en una sociedad unos hablan una lengua y otros otra; o que en ella todos —o la mayoría— hablan dos lenguas. Éste es, precisamente, el caso de Cataluña. Pero la cuestión no termina aquí; no ha hecho más que empezar.

Es evidente que el catalán es la lengua primera de la gran mayoría de los catalanes, la que hablan y oyen desde la cuna, aquella en que habitualmente se expresan en la conversación, la que es instrumento y vehículo de su interpretación originaria de la realidad. Y creo que esto ha sido así siempre, desde que se puede hablar de Cataluña. (Conviene, dicho sea de paso, no apresurarse a generalizar y pensar que lo mismo sucede en todas las regiones españolas en que se hablan lenguas particulares, porque las situaciones reales no son homogéneas, ni mucho menos.) Si esto ha sido o es bueno o malo para Cataluña, si hubiera sido preferible otra cosa, puede discutirse y no carece de interés; pero es un hecho histórico que así ha acontecido, y nada me parece más respetable que la realidad.

Pero es un hecho también, y no menos respetable, que los catalanes hablan español. Es muy probable que a esta afirmación aparentemente obvia se opongan dos reparos. Como no tengo prisa, quiero apuntarlos yo mismo y examinarlos brevemente.

Algunos dirán que *no todos* los catalanes. Yo responderé que es cierto, pero que su número y calidad aconseja no restringir el enunciado anterior —las restricciones, cuando no son verdaderamente relevantes, dan una falsa precisión y suelen confundir las cosas—. Porque si se toman las cosas con mucho rigor también habría que decir que «casi todos» los catalanes hablan catalán;

y habría que agregar que la mayor parte de los que no hablan español tampoco hablan *plenamente* catalán, al menos no lo poseen en la forma que hoy se considera adecuada, es decir, que están por debajo del nivel histórico propio de nuestro tiempo, y están aquejados de alguna forma de «primitivismo».

El segundo reparo se referirá a la expresión «español»; muchos dirán que los catalanes hablan catalán y «castellano». En efecto, esta última denominación de la lengua en que escribo, usual y predominante en todas partes durante mucho tiempo, pero hoy en franca regresión, se mantiene especialmente vivaz en Cataluña. Casi todos los españoles dicen «español» para nombrar su lengua; los hispanoamericanos emplean abrumadoramente esta expresión; en otras lenguas, «castellano» se usa tan poco como «toscano» para la lengua de Italia. En Cataluña, en cambio, se prefiere seguir diciendo «castellano». A muchos les parece esto plausible, ya que el catalán es «también» español. Yo creo que hay una ligera confusión en esto: el catalán es «una lengua española», o mejor «una de las lenguas de España», como el gallego o el vascuence; el castellano fue la lengua de Castilla, y es la denominación adecuada para la lengua medieval que en este reino se hablaba; pero esa lengua, con aportaciones y modificaciones sumamente importantes, procedentes de otros romances, desembocó en la lengua de España o español. ¿No resulta un poco absurdo decir que los aragoneses o los leoneses hablan «castellano»? Originariamente hablaron leonés o aragonés, hoy ellos y los castellanos y todos los demás españoles hablamos «español», la lengua general de España. Los catalanes, que no son castellanos, no tendrían por qué hablar «castellano», que sería la lengua de una región tan hermana como «otra», ajena y distinta; lo que hablan es la lengua común de España, que les pertenece tanto como a cualquiera, que es «propia» de los catalanes, aunque no «privativa» de ellos, como no lo es de los castellanos, ya que éstos la comparten no sólo con los demás habitantes de la Península Ibérica y sus islas, sino con todos los de Hispanoamérica y algunos de otros continentes.

No vamos a confundir «propiedad» con exclusivismo; no vamos a llamar «nuestro» exclusivamente a lo que es «sólo nuestro». ¿Será más «propia» la lengua de los húngaros o los daneses que la de los ingleses o los españoles, por el hecho de que muchos millones de hombres hablen como propias estas lenguas fuera de Inglaterra o de España?

* * *

El hecho es, pues, que los catalanes tienen dos lenguas: el catalán, su lengua privativa, y el español, la lengua general de España. Cualquier oscurecimiento de este hecho histórico conduce a falsedades que pueden ser muy graves. Pero con esto no se dice que tengan estas dos lenguas *por igual;* probablemente no sería posible, en todo caso no es cierto. ¿Cómo las tienen?

Algunos catalanes dirían que los catalanes «tienen» sólo una lengua: el catalán; y que «saben» el español, como pueden saber, como otros muchos saben, el francés, el inglés, el alemán, el italiano. Creo que esto no es exacto. La lengua propia es aquella en que uno está *instalado*, desde la cual se trata con la realidad; las lenguas extrañas se «usan», se manejan, y la instalación en ellas es provisional, aunque pueda ser fácil y cómoda. En la lengua propia se está «como en casa»; en la ajena, como en casa de amigos, en calidad de invitados, o como en un hotel. Se puede estar muy bien, pero nunca «en casa».

Esos mismos catalanes aceptarán esto, pero agregarán que su casa es el catalán. Y yo me permitiré sugerir que la casa lingüística de la mayoría de los catalanes —de los que no son rústicos— tiene «dos pisos»: en el primero, aquel en que se hace la vida cotidiana, pasan muchas horas del día y ejecutan aquellas operaciones que son a la vez más elementales y más entrañables; pero suben con toda frecuencia y normalidad, muchas veces al día, al segundo, y cuando lo hacen *siguen en su casa*. Este «piso lingüístico» tiene funciones peculiares, posibilidades propias, y significa una disponibilidad fundamental de la vida catalana tal como se ha hecho en la historia; tal como es, no tal como hubiera podido ser, o como podemos fingirla.

Muchos catalanes nos dicen que hablan, ciertamente, español, pero no como su lengua; que tienen que «traducir». (Esto, por supuesto, no es verdad ni siquiera de una lengua extranjera: cuando hablo francés o inglés, cuando escribo o doy una conferencia en estas lenguas, no traduzco, sino que hablo o compongo directamente en ellas, y a veces me supone alguna dificultad traducir al

44

español lo que he pensado sin pasar por él.) Los catalanes que dicen esto, porque es una tesis «recibida» y admitida, al cabo de un rato, con la segunda taza de café, lo han olvidado, y resulta que están hablando en español con la misma fluidez, espontaneidad y dominio que cualquier español de cualquier parte: han movido el interruptor, han subido al piso de arriba, están «en su casa». Si no fuera así, la historia entera de Cataluña sería inexplicable.

5

LA SOCIEDAD Y LA LENGUA

La lengua primaria de Cataluña, el uso lingüístico básico y fundamental, y por tanto el centro de organización de la vida catalana, ha sido desde los orígenes, que se confunden con la génesis de los romances españoles, el catalán. Creo que este hecho ha de ser el punto de partida para todo planteamiento inteligente —y esto quiere decir veraz— de la realidad de Cataluña y de sus relaciones con todo lo que no es catalán.

Pero hay que agregar inmediatamente algo que completa lo que acabo de decir: el catalán, a lo largo de su historia, ha convivido siempre estrechamente con otras lenguas; o, dicho en forma algo distinta, la sociedad catalana ha estado definida habitualmente por una pluralidad lingüística.

No olvidemos que durante toda la Edad Media no ha habido «lenguas nacionales», por la sencilla razón de que no había naciones. Los romances surgen sobre una base latina, en un largo proceso evolutivo determinado, aparte de otros factores históricos y literarios, por el sustrato prerromano de los diferentes pueblos donde se originan. Quiero decir que en toda España, como en general en toda la Romania, se habla latín, y sólo a partir de cierto momento se puede decir que *aquello* ya no es latín, sino uno u otro romance; pero el latín no desaparece por ello, sino que perdura para ciertas funciones: es la lengua escrita —durante bastante tiempo los romances no se pueden escribir, y luego se escriben precariamente—; es la lengua culta, la de la Iglesia, la del pensamiento, la de ciertas formas de poesía e historia; las «lenguas vulgares» conviven con el latín durante siglos. Esto suele verse desde el punto de vista del latín, pero aquí me interesa la otra perspectiva: las lenguas vulgares no son «únicas», no son la lengua del país, sino que significan *una opción;* el que habla o escribe tiene que *decidir* si habla o escribe en latín o en romance; y la decisión depende del estrato social, de la profesión, del propósito. No hay el «automatismo» con que hoy se usa la lengua viva, porque el latín, sin serlo plenamente, no era una lengua muerta, y los romances se estaban haciendo, eran aún lenguas incoativas, titubeantes, en estado de fluidez, aunque cada uno con un principio generador y ordenador. Más que lenguas, eran impulsos y tendencias hacia lenguas que habían de existir después.

Por eso durante toda la Edad Media hay lo que podríamos llamar una fluidez lingüística funcional. Los diversos romances conviven con el latín y además entre sí. No olvidemos que Alfonso el Sabio, que escribe en castellano en la segunda mitad del siglo XIII, cuando compone poesía escribe las *Cantigas* en gallego. En el caso de Cataluña, esta situación se da por partida doble.

Durante mucho tiempo, los poetas catalanes escriben en provenzal, lengua literaria de mucho atractivo y prestigio, usada también en el norte de Italia; una dirección determinada de la lírica se realiza en provenzal; es decir, el «lenguaje literario» es una lengua distinta de la hablada habitualmente, en este caso la de un pueblo vecino, unido por estrecha convivencia.

Por otra parte, la unión con Aragón desde el siglo XII hace que dentro del Estado medieval —el Reino de Aragón— se hablen y escriban permanentemente las dos lenguas: el catalán del Condado de Barcelona y el aragonés— que se va a ir aproximando cada vez más al castellano— del Reino de Aragón en sentido estricto. Es decir, que Cataluña ha formado parte de una pluralidad lingüística dentro del Estado desde tres siglos antes de la unidad nacional.

Querer ignorar que el catalán es la lengua primera de Cataluña, y que está viva desde los orígenes hasta hoy, es una alteración de la realidad, y la realidad reclama siempre sus derechos; olvidar que el catalán nunca ha estado solo es otra falsedad que las cosas mismas se encargan de desmentir.

* * *

Es bien sabido que desde mediados del siglo XV, y hasta la época romántica, cuatro siglos después, sólo mínimamente se escribe en catalán. Lo mismo aproximadamente sucede con el provenzal. En cuanto al gallego, su florecimiento medieval termina aún más pronto; el portugués —en la medida en que se distingue de él— no se interrumpe literariamente, pero los escritores portugueses del Renacimiento —ejemplos máximos Gil Vicente y Camoens— escriben indistintamente en portugués y en castellano, que va sintiéndose cada vez más como «español» («castellanos y portugueses, porque españoles lo somos todos»); y Os Lusiadas, a propósito precisamente de las glorias específicas de los portugueses, canta las hazañas de «Uma gente fortissima d'Espanha».

Las razones de todos estos fenómenos convergentes son muchas, pero no demasiado oscuras. Creo que su interpretación más clara se encontraría estudiando la lengua como una forma particularmente importante de uso social. En mi discurso de ingreso en la Real Academia Española estudié hace pocos meses «La realidad histórica y social del uso lingüístico»; creo que algunas de las ideas allí utilizadas podrían ayudar a comprender ciertos apasionantes problemas históricos referentes a la vida de las lenguas en diferentes estratos o perspectivas.

La idea de que un pueblo que conserva su lengua se pase cuatrocientos años escribiendo en una lengua «extranjera» es demasiado inverosímil para que nadie pueda aceptarla. No puedo imaginar, por otra parte, que pudiera hacerse un agravio mayor a Cataluña: equivaldría a la negación más absoluta de su personalidad. Los catalanes no han escrito en catalán, sino en español, durante cuatrocientos años porque escribían en su otra lengua; segunda en su vida, sin duda; primera durante ese tiempo para ciertos menesteres, como en la Edad Media lo había sido para todos los europeos el latín y para los propios catalanes el provenzal en cierta fase de su historia.

Algunos quieren interpretar ese enorme hecho histórico como una consecuencia de la «opresión» del Estado central. Es cierto que el Estado ha sido frecuentemente opresor, y no sólo sobre tal o cual región, sino sobre la totalidad nacional, y con frecuencia sus titulares han procedido de la periferia; quiero decir que las presiones, aun en la medida en que han sido «centrales», no han sido de una región sobre otras, sino del Estado como tal sobre varias o todas ellas, y no ha sido Castilla la menos oprimida, aunque la opresión se haya ejercido «desde» ella. Pero lo decisivo es otra cosa: las presiones se ejercen siempre en cierta dirección y sentido; se aplican a ciertos puntos que interesan en cada momento; son posibles o no según los recursos de que dispone el Poder. Pues bien, las presiones que el Estado de los Austrias o de los Borbones ha ejercido sobre España en general y sobre Cataluña en particular durante los siglos XVI al XVIII *no han sido lingüísticas*. Ni importaba el uso de una u otra lengua, ni se cohibía, ni el Estado tenía medios ni voluntad de ejercer actividades que tuvieran relación con las publicaciones ni con la enseñanza de la lengua. En la medida en que algo de esto ha existido, ha sido desde el siglo XIX, después del fin del antiguo régimen y la invasión francesa, en especial desde la organización administrativa de tiempos de Isabel II, cuando el Estado español asume una serie de funciones que hasta entonces había considerado ajenas. Ahora bien, esta época es justamente la de la *renaixença,* aquella en que a partir de Aribau, Bofarull, Rubió, Milá y Fontanals, Verdaguer, etc., comienza el resurgimiento del cultivo literario del catalán, tras un eclipse de cuatro siglos, y paralelamente a lo que ocurre con el provenzal, el gallego y tantas otras lenguas minoritarias de Europa.

El Romanticismo, que despierta el interés por todo lo peculiar, que incluye —y este es su mérito mayor— una fuerte avidez de realidad y un deseo de respetarla —la raíz última del liberalismo—, atiende a lo diferencial, lo que empieza, lo que perdura como residuo —¡las ruinas!—, lo que ha quedado oscurecido o postergado, lo oprimido por la fuerza o hasta por la mala suerte. El Romanticismo, cansado de homogeneidad, abstracción y racionalismo, toca la corneta para llamar a todas las realidades olvidadas. Es un gran suscitador y un gran resucitador a la vez. Sólo en esta perspectiva se entiende rectamente el florecimiento de las letras catalanas en el último siglo, con todo lo que esto ha llevado consigo.

* * *

En todo caso, si la lengua es un *uso social,* es la sociedad quien debe regularlo. Toda interferencia no social en el mecanismo de la lengua puede ser una perturbación. Podrá haber un aspecto lingüístico de la vida del Estado, y es el Estado quien deberá disponer dentro de él: pero el uso *social* de la lengua es asunto de la sociedad misma. Es ella, con sus presiones difusas propias, con su sistema de vigencias, con la acción creadora de los individuos que la componen, quien determina lo que se habla y se escribe. Siempre que lo estatal interviene en la esfera de lo específicamente social, ejerce sobre la sociedad una acción que disminuye su vitalidad, provoca fermentos de discordia y a la larga debilita la estructura estatal, ya que ésta no es sino un instrumento directivo de la sociedad.

Naturalmente, cuando hablo de lo estatal y lo social, me refiero a lo que es estatal en cualquier nivel, desde las regiones hasta un posible Poder supranacional, el día que exista en el mundo. Es la espontaneidad de las acciones individuales, encauzada por las vigencias colectivas, orientadas por las fuerzas sociales, quien decide cómo se pronuncia una letra, cómo se forma el femenino de los nombres, cómo se conjugan los verbos, qué entonación se estima y cuál se desdeña, cuál es el vocabulario o la sintaxis correcta, en qué lengua se escriben libros o periódicos, qué se pone en el escaparate de una panadería. Todo lo demás es buscarle tres pies al gato.

6

EL CATALÁN COMO POSIBILIDAD

Hay muchos españoles para quienes la supervivencia y vitalidad de la lengua catalana es... un contratiempo. Algunos creen que es un contratiempo para la nación española, porque introduce un elemento de diversidad, heterogeneidad, fricción o escisión; otros creen que es un contratiempo para Cataluña, porque es un factor de aislamiento, de descontento, acaso de obturación del horizonte histórico.

¿Qué pensar de estas posiciones? Dejemos de lado la reacción elemental y tosca, provinciana, de los que sienten irritación ante todo lo que significa una complicación de cualquier orden, y contraría o invalida sus ideas simplicísimas sobre las cosas. Dejemos también fuera de nuestra atención a los que creen que se trata de algo voluntario, de una «manía» o de gana de molestar a los demás usando una lengua distinta de la común. Si nos quedamos con los que miran las cosas con discreción y ánimo de comprenderlas, y al hacerlo sienten ese malestar, ¿podemos compartirlo?

Antes que contestar a esta pregunta sería conveniente

intentar precisar cuál es la situación lingüística de Cataluña, al menos en sus rasgos generales, sin entrar en detalles difíciles de valorar.

Los catalanes sienten su idioma peculiar como irrenunciable. Una gran parte de ellos lo hablan con plena espontaneidad y naturalidad, como algo obvio; están instalados en él con holgura; es su lengua cotidiana, en la que automáticamente rompen a hablar, en la que inician una conversación, en la que rezan y multiplican y sin duda sueñan. Salvo los muy viejos o residentes en medios rurales y aislados; poseen el español, lo entienden perfectamente, lo hablan a veces admirablemente, a veces mal —que es exactamente lo que les pasa a los hombres de Castilla, Aragón, Andalucía o Asturias—. Transitan del catalán al español sin dificultad, tan pronto como su interlocutor les habla la lengua común, y sienten la tendencia de volver al catalán cuando hablan con las personas que habitualmente lo usan. Esto irrita a algunos no catalanes, que consideran sin razón como descortesía o insistencia poco amistosa en la lengua regional lo que es simplemente la espontaneidad del habla y la resistencia a la «afectación» que supone hablar a los próximos en una lengua que no es la habitual. Hay que contar además un factor fuertemente afectivo: los catalanes sienten hondo apego a su lengua; la usan y *quieren* usarla; están en ella y la *afirman*. La razón es clara: en una situación de estricto monolingüismo, la lengua es como el aire que se respira, y apenas se repara en ella; cuando una lengua convive con otras, el hablarla es siempre una opción, y envuelve un movimiento de *adhesión* que va más allá de la simple e involuntaria instalación.

La situación que he intentado describir es la de la porción mayor de Cataluña, sobre todo —dichas las cosas aproximadamente— la de Lérida, Gerona y Tarragona: las dos primeras, por ser más homogéneamente catalanas; la tercera, la más «levantina» de las comarcas de Cataluña, porque en ella el tránsito entre el catalán y el español es más frecuente. Pero en Barcelona, y en la zona industrial de esta provincia, los fenómenos lingüísticos presentan caracteres ligeramente distintos.

En esta zona hay un número muy alto de no catalanes. De ellos, unos son funcionarios, militares, personas consideradas —con más o menos razón— como «representantes» del Estado; otros son visitantes: hombres de negocios, profesionales, turistas; un tercer grupo, muy grande, está constituido por los inmigrantes, en su mayoría obreros, que «se quedan» en Cataluña: «los otros catalanes», para emplear el título del interesante libro de Francisco Candel. Es también la porción de Cataluña en que lo impersonal tiene un papel más importante: rótulos, indicaciones escritas, publicidad; y todo ello aparece ahora en español —en «castellano», como se prefiere decir—, por contraste con el sustrato hablado. Y finalmente, la presencia de lenguas extranjeras acentúa más lo que esta situación tiene de anormal.

Es imposible evitar una pérdida de la naturalidad, la aparición de una fricción, en ocasiones un carácter «polémico» en el uso de la lengua. Los catalanes encuentran «normal» que los que viven en Cataluña, sobre todo si ejercen funciones públicas, hablen o por lo menos entiendan el catalán; tienen conciencia de que basta un mínimo de buena voluntad para conseguirlo en breve plazo. Los procedentes de otras regiones sienten que tienen «derecho» a usar la lengua general, ya que están en España; hasta aquí, parece que tienen razón, y creo que pocos catalanes lo discutirían; pero muchos no se quedan ahí, sino pretenden, más o menos expresamente, que los demás la usen también, es decir, que no usen el catalán tan pronto como algún no catalán está presente; y esto es tan irreal como injustificado. El catalán está dispuesto a hablar en español cuanto haga falta, y en general del mejor grado, siempre que se trate del diálogo con el «forastero» o de una fase provisional y transitoria; pero pretende volver a su habitualidad catalana, no sentirse obligado a abandonarla siempre que haya alguien cuya lengua primera no sea el catalán, ya que en Barcelona y en las zonas industriales del país esos contactos son constantes. Si esa pretensión de algunos no catalanes se realizara, el catalán sólo se hablaría en el seno de la familia o en las relaciones amistosas muy íntimas, y esto no tiene sentido. El que «vive» en Cataluña puede y debe aprender catalán —con ello no pierde nada: gana una espléndida e ilustre lengua—; en todo caso, lo suficiente para entenderlo, aunque siga hablando en español si lo prefiere.

En cuanto a la lengua escrita, las cosas son distintas. Es menester no echar en olvido que el catalán no se ha escrito literariamente durante cuatrocientos años; este hecho es tan enorme, que condiciona toda consideración ulterior. Hay que agregar que se ha escrito, en general, muy poco. Todavía son innumerables los catalanes que hablan catalán cotidianamente, pero cuando escriben, incluso cartas familiares, lo hacen en español. Dirán algunos de ellos que esto se debe a que el catalán no se enseña, al menos en las instituciones docentes oficiales. Esto último me parece por lo menos un error; pero el argumento que se deriva de ello no me convence; la cantidad de esfuerzos que ha acumulado Cataluña en un siglo para restablecer y desarrollar la vitalidad del catalán, su difusión y su prestigio hubieran podido superar con creces las deficiencias de la enseñanza oficial si no hubieran intervenido motivos de otro orden, que han disminuido la vigencia del catalán escrito.

Intentaré nombrar algunos de los que me parecen más probables. Durante cuatro siglos, el *uso* social de Cataluña ha sido leer y escribir en español, aunque siguiera hablando en catalán. Adviértase que la casi entera desaparición de la literatura catalana coincide con la invención de la imprenta, es decir, con el acceso a la lectura de las mayorías. Podemos decir que, salvo minorías muy reducidas, *no ha existido el uso de leer en catalán;* cuando a mediados del siglo XIX se inicia, no pasa de ser una *vigencia parcial,* coexistente con otra más fuerte, la de leer en español. Por eso todavía hoy el volumen de lecturas en castellano es abrumadoramente dominante; por eso muchos catalanes, cuya adhesión al catalán es muy viva y que lo hablan constantemente, prefieren leer en español en condiciones «neutrales»; por ejemplo, un libro extranjero traducido. En cambio, es rarísimo el catalán que escribe poesía en español: a la distancia de intimidad de la lírica, el catalán es la única lengua realmente posible.

Por otra parte, los esfuerzos de gramáticos y lexicógrafos, y de algunos escritores, a lo largo del siglo XIX y en nuestro tiempo, por restablecer un catalán «puro» probablemente han restado espontaneidad al cultivo de esta lengua y han introducido una singular «inseguridad» en los que lo escriben. Me refiero a lo siguiente: hace cosa de cien años, los estudiosos del catalán encontraron que estaba «impurificado» y, sobre todo, «castellanizado»; partiendo de las normas de derivación del latín propias de la lengua catalana, intentaron reconstruir un catalán «correcto» y depurado. Ahora bien, las lenguas se forman de manera histórica y muy poco racionalista, de acuerdo con la razón histórica y no con la razón pura abstracta. Las palabras y en general las formas lingüísticas penetran por distintas vías: una, y muy importante, ha sido en el catalán la lengua de Castilla, como no pocas voces han entrado en castellano a través del catalán, como Corominas muestra con cuidadosa frecuencia. Con arreglo a las leyes fonéticas, en español la primera comida del día debería llamarse «yendajo», que es lo que probablemente hubiera dado *jentaculum* en castellano; pero es un hecho que tal palabra no existe, sino que se dice «desayuno». El catalán hablado, es decir, el catalán vivo y real que ha existido durante siglos, estaba lleno de «castellanismos», lo mismo que el español y el inglés y el alemán están llenos de «galicismos», y todos ellos, respectivamente, de «anglicismos», etc. El catalán dice «metge», pero el castellano no dice «menge», sino el puro latinismo «médico». Son muchos los catalanes que hablan perfectamente el catalán, pero vacilan y se sienten inquietos al escribir una lengua que sienten en alguna medida «artificial» y distante de los usos verbales espontáneos.

Y no olvidemos, por último, el factor que fue decisivo en el proceso iniciado hace medio milenio: la atracción, la fascinación incluso, de la espléndida literatura que se inicia con la *Celestina* y llega a Unamuno, Azorín, Valle-Inclán, Ortega, Juan Ramón Jiménez y un par de docenas de escritores de las últimas cuatro generaciones; literatura que nunca ha sido ajena a los nacidos al este del Ebro.

* * *

Yo creo necesario, dado el estado real de las cosas, que el catalán sea poseído con plenitud, escrito con naturalidad y esmero, usado con libertad. Creo que cada cual debe decidir por sí lo que escribe al frente de su tienda, en qué lengua compone e imprime sus libros, revistas y periódicos, cómo conversa o negocia. El amor, el gusto, la conveniencia, el prestigio se encargarán de regularlo. Los catalanes necesitan sentirse plenamente instalados en el catalán para no tener una impresión de exilio; su lengua es lo bastante fuerte y vivaz para haber llegado llena de energía y posibilidades a la segunda mitad del siglo XX. Y esas posibilidades no son *sólo* catalanas: son españolas. Importa a España tener con un máximo de perfección y vigor sus lenguas regionales, que son otras tantas fuerzas espirituales que aumentan su riqueza. El plurilingüismo puede ser enojoso o perturbador para la vida de un país cuando unas porciones de él hablan una lengua, otras, una distinta. En el caso de España no es así, porque existe una lengua general, que es además una lengua universal, la cual nada tiene que perder de la pujanza y la capacidad creadora de las lenguas regionales.

Y de igual modo, éstas serían un freno o una prisión si estuvieran solas. La más fuerte y fecunda de todas ellas, el catalán, es una lengua limitada, hablada por muy pocos millones de personas, sin repercusiones más allá de fronteras muy reducidas. Es una lengua entrañable para los que la hablan desde la cuna, de espléndidas posibilidades expresivas, capaz de perfección literaria; pero es una lengua confinada. El catalán solo sería una limitación, un factor de «tibetanización» de Cataluña; unido al español, a la segunda lengua propia de los catalanes, puede ser el instrumento y la expresión de su personalidad plena, segura, actual y no arcaica, arraigada y universal al mismo tiempo.

7

FORMAS ESTÉTICAS Y FORMAS DE VIDA

Cada vez me interesan más las formas de las ciudades; me apasiona ver cómo la arquitectura, durante largos siglos, ha acertado a expresar una forma de vida, lo cual se traduce en el logro de la belleza, mientras que desde hace aproximadamente un siglo el acierto es excepcional. Quiero decir que en los últimos cien años no ha existido en España —y no pienso que sea *sólo* en España— una manera de entender la casa y la ciudad que colectivamente represente una forma de vida adecuada, instalada en sí misma, con una figura de la cual se pueda sentir a la vez responsable y satisfecha.

He insistido largamente en el caso de Andalucía, porque en ella las caídas han sido la excepción, y se ha mantenido de modo casi milagroso el imperio de la belleza urbana y arquitectónica, lo cual significa en mi opinión la autenticidad de la vida, al menos en una de sus dimensiones esenciales. Hay, por el contrario, ciudades españolas en que hasta 1850 ó 60 todo es armonioso, expresivo, feliz en su magnificencia, en su modestia o acaso en la más humilde pobreza; desde esa fecha, casi todo es un presuntuoso esperpento, una arbitrariedad o la expresión de un alma vulgar y fea. A veces pienso, delante de una casa reciente o nueva, que el arquitecto ha tenido que construirla sin mirar ni una vez a la acera de enfrente, solo a un manual o a la revista recibida en el último correo.

¿Qué pasa en Cataluña? ¿Cómo son las formas urbanas de Cataluña? Los viajes rápidos —y casi todos los de ahora lo son desgraciadamente— tienen una ventaja: permiten que se proyecte en nuestra mente la película de las formas que hieren nuestra retina, y esa aproximación de tantas imágenes hace posible la comprensión de algunas cosas que escaparían a una mirada más despaciosa y atenta. Casi no puedo dar más que impresiones; pero el impresionismo no me parece desdeñable; al fin y al cabo, sirvió para ver más de cuatro cosas que nunca se habían visto.

* * *

Lo primero que tendría que decir es que la distancia estética entre unos puntos y otros de Cataluña es extrema: se pasa de ejemplos intensísimos de belleza a inquietantes concentraciones de fealdad. ¿Qué quiere decir esto? La sorpresa mayor de este viaje por Cataluña ha sido para mí la provincia de Lérida, tan frecuentemente olvidada, relativamente desdeñada, de la cual se subraya sólo el Pirineo. El Pirineo es, por supuesto, de extraña hermosura, pero lo que ahora me interesaría subrayar es que su belleza no se limita a la naturaleza, sino que consiste muy principalmente en ciudades y pueblos. Sobre esto ya he dicho no pocas cosas; pero habría que añadir que la Lérida «frutal», la Lérida fluvial y agrícola del «pla de Lleida» conserva la armonía, la adecuación entre la tierra y las edificaciones, es decir, la figura de la vida.

Y esa misma belleza la encontramos en Viella o en Bossost —casi gascón, junto al Garona naciente—, en Pont de Suert, en Tredós, en Sort; en las tierras más pobres de Vilamur, Guils o Pallerols, pueblos casi abandonados, ásperos, expresivos, agarrados a la roca rojiza; en la Seo de Urgel, recoleta, sosegada e intensa, con gruesas arcadas, soportales para la lluvia, sauces llorones frente al Palacio episcopal, una Catedral que orienta la ciudad entera; y en formas distintas, en Puigcerdá, con su plaza asomada a la Cerdaña, su desvencijada torre altísima, su lago; o en Ripoll, casi invadida por el Freser embravecido; o en Vich, ciudad de silencio, donde las horas deben de ser más largas que en otras partes; o en Lérida, dominada por la espléndida «Seu vella», tan gallarda y enérgica, que se corresponde y equilibra con la gracia civil de la Pahería, con la dignidad de la Catedral dieciochesca, con las formas sabrosas de vida provinciana.

Por todas partes se encuentra —como en Andalucía, como en Castilla la Vieja, como en otros lugares de España— un *pueblo*. Dirá el lector que eso lo hay en todas partes. Ojalá: en una gran porción del mundo no ha habido nunca un pueblo; en algunos lugares, materiales para hacerlo, si Dios quiere; en muchas tierras viejas, a lo sumo detritus de un pueblo.

Pero las diferencias son enormes. Si un helicóptero

me hubiera llevado dando vueltas por los aires, haciéndome perder el sentido de la orientación, y me hubiera depositado. en Gerona, y me hubiese aventurado por las calles pinas que flanquean la Catedral, o me hubiera sentado bajo las arcadas, en cualquiera de los cafés donde las muchachas de Bachillerato van a descansar y charlar a la caída de la tarde, si me hubieran preguntado dónde estaba, no sé si hubiera contestado que estaba en Cataluña. Acaso en Cáceres; quizá en Cuenca; posiblemente en Orense; cualquiera de estas tres ciudades se parece a Gerona mucho más que Tarragona, tan levantina, tan mediterránea. ¿Es que por ventura es Gerona menos catalana que Barcelona o Lérida? ¿O lo será Tarragona? Conviene no identificar Cataluña con ninguna de sus formas particulares; tampoco conviene olvidar las fuertes semejanzas que enlazan a muy distantes ciudades españolas, porque en ellas transparecen formas de vida que han sido análogas, que se han correspondido de una tierra a otra. ¿No sería sugestivo hacer una teoría de las «homologías» de España? Preguntarse, por ejemplo, qué ha representado Gerona en Cataluña, cuál ha sido su «homóloga» en Castilla; indagar por la homología de Vich; buscar —si lo hay— el equivalente de Toledo en la Corona de Aragón.

Homología no quiere decir semejanza; es semejanza de «lugar» o «función» vital, que muchas veces excluye el parecido, como el pulmón difiere de las branquias o el pico de los labios. Para buscar las homologías habría que bucear en la intimidad de las formas de vida, intentar extraer el latido común de España, diversificado en tantos corazones diferentes, cada uno con su ritmo, su centro de gravitación —su amor, su peso—, recompuesto en una superior concordia, como la armonía de una orquesta.

Esa emoción, más allá de la estética, es la que asalta al viajero cuando entra en una ciudad, sobre todo si es vieja, de Cataluña. Por ejemplo, Montblanch. ¿Qué significa? Hay una impresión doble: de novedad, de «reconocimiento». ¿No es «lo mismo» que otras veces, en otras regiones? Sí, pero no. ¿Hemos estado en Valls antes, o en Espluga, o en La Bisbal? Hay que avanzar un poco, dar un paso más, tomar posesión de la nueva forma, tan próxima, pero que añade un matiz, y con él un enriquecimiento. Importa tener en la mano todas las variantes de Cataluña, de España entera. Los elementos comunes son enormemente fuertes, pero su vigor consiste precisamente en estar presentes, actuantes, vivificadores, en formas diversas. Cuando se detiene la atención sobre Cataluña, no sólo se la conoce y comprende mejor, sino que se adentra uno en Castilla, en Galicia, en Valencia; a la vez que se va descubriendo lo catalán, se van poniendo de manifiesto aspectos de las otras regiones; al encontrar ahora, asociado a otros ingredientes, un elemento español que habíamos hallado unido a otros distintos, repentinamente se esclarece su significado, y a la vez el de aquellos otros componentes particulares. Se va ligando con amor «cosa con cosa y todo a nosotros», según la fórmula que usó Ortega hace medio siglo, y todo queda a un tiempo más claro, más intenso y más nuestro.

Si se me pidiera decir en muy pocas palabras mi impresión estética de Cataluña en la medida en que refleja las formas de la vida catalana, diría esto. Lo más importante, lo que me hace sentir profunda estimación y considerable esperanza, es la hermosura general de Cataluña, del campo bien labrado, de los pueblos expresivos y serenos, de las ciudades de recatada belleza, con frecuencia «molt recòndita, com la viola que embalsama els boscos», como la esposa de Maragall. ¿Es eso —se dirá— lo más importante? Perdonadme si soy poco «utilitario» o si creo que lo más útil no es lo que suponemos que debe ser así. Cada vez que veo belleza en torno mío —en una casa, en una ciudad— me siento tranquilo y esperanzado; la fealdad, en cambio, me sobrecoge y preocupa, me inquieta y hace temer lo peor, la irrupción de un alma fea que opera a escondidas y espera su momento.

En segundo lugar, las formas urbanas de Cataluña son privadas, sobre todo familiares, con escasas muestras de vida pública, salvo una excepción. Y esto, que en un primer plano es positivo —la vida es sobre todo vida privada—, me produce a la vez algún sobresalto: la vida no puede ser solo vida privada. Y la familia, que es una gran fuerza, puede ser una gran tentación cuando se vuelve de espaldas a la sociedad, se escinde de ella, olvida que solo en ella, en la sociedad general, tiene su placenta nutricia.

Pero de esto, en sus posibles causas, de sus riesgos y remedios, tendré que hablar más adelante, cuando me pregunte otro día por el puesto que Cataluña ha tenido en España, por el que debe tener.

Y un tercer carácter se impone a la observación de las urbes catalanas: toda Cataluña, a pesar de las grandes diferencias, apoyándose en ellas y conjugándolas, muestra armonía y coherencia, desde el Valle de Arán a Valls, desde Sitges a Puigcerdá, de Tarragona a Gerona, tan distintas. Con tres excepciones: la Costa Brava, la zona industrial del Llobregat y Barcelona misma. La primera, porque salvo en unos pocos lugares —Palamós, por ejemplo— donde sobreviven las formas originarias, ha sido inundada por las playas y las ciudades «placenteras», iguales en todo el mundo, de California a la Costa Azul, del Brasil al Bósforo, del Plata al Golfo de Nápoles. La segunda, la más inquietante, porque descubre una veta de fealdad innecesaria y peligrosa. La tercera, porque Barcelona, demasiado grande para Cataluña sola, demasiado absorbente, destinada a dar su plenitud proyectando a Cataluña entera en el escenario nacional, se ha «sustantivado», si vale la expresión, y ha creado una forma urbana tan espléndida como reveladora de una perplejidad.

8
LA CATALANIZACIÓN DE BARCELONA

Barcelona es una ciudad superlativa. Pertenece al grupo reducidísimo de las ciudades del mundo que tienen alrededor de dos mil años. Cuando esto ocurre, quiere decir siempre que están emplazadas en algún lugar geográfica e históricamente certero; son, en lo que cabe dentro de las cosas humanas, perdurables. Este espesor histórico de Barcelona me parece decisivo, y si no se lo tiene presente nada se entiende. Barcelona está ahí desde hace dos milenios, anterior a España, a Cataluña, que han «pasado» por ella, haciéndola; ha ido asumiendo diversas funciones, adquiriendo personalidades distintas, cruzando edades históricas en una biografía que en principio no tiene límite, puesta entre el mar y la montaña, junto a sus ríos, en una tierra fértil que invita al arado y la siembra.

Y es una ciudad de superlativa *continuidad*. No sólo porque en ella se conserven no pocos restos o reliquias del pasado, sino porque cada etapa ha fundido con las anteriores de manera armoniosa, sin ruptura, y se puede pasar sin sobresalto ni escándalo desde las ruinas romanas que asoman bajo la Catedral hasta el

Ensanche o la Exposición. Una vez recordé, a propósito de esta ciudad, el verso de Goethe:

Geprägte Form, die lebend sich entwickelt,

«forma acuñada, que se desarrolla viviendo». ¿No indica esto que hay, no una «Barcelona eterna», que tal cosa no existe, pero sí una Barcelona perdurable? Y ¿no será menester buscarla, retenerla, no cambiarla por ninguna de una hora, ni de las que ya pasaron ni de las que pueden venir?

Y es también superlativa la magnitud de Barcelona. Para efectos, no ya españoles, sino europeos, es una de las grandes ciudades en sentido riguroso. Y esto quiere decir que tiene una función y una responsabilidad muy determinadas. Barcelona no puede ser una ciudad «provincial»; el ser provincial es una espléndida posibilidad histórica, en muchos casos la fórmula del decoro y de la felicidad; es el destino de Gerona, de Lérida, de Tarragona, de Vich, de Reus, de Ávila, de Teruel, de Soria, de Jaén, de Cáceres, de Pontevedra, de Oviedo, de León, de Alicante; o de Reims o Burdeos o Estrasburgo; o de Heidelberg, Göttingen o Friburgo; o de las ciudades suizas, porque todas son provinciales; o de Amberes o Utrecht o Nimega; o de tantas otras ciudades ilustres, admirables, entrañables. No es una posibilidad barcelonesa: si Barcelona pretende ser provincial, será «provinciana». (Recuérdese la fórmula de Ortega: provincial es el que pertenece a una provincia; provinciano, el que cree que su provincia es el mundo.)

La función de la gran ciudad es doble: tiene que ser «escenario» de la comarca, región o país de quien es cabeza; tiene que ser «representante» de esa realidad histórico-social en el diálogo con las demás; en otros términos, un órgano de la convivencia. La gran ciudad no puede estar encerrada en sí misma, vuelta de espaldas al mundo próximo ni al remoto; no puede atraer egoístamente hacia sí las energías del contorno, sino al contrario: irradiar efusiva y generosamente, verter su riqueza hacia fuera; no puede ignorar, porque entonces se desconoce a sí propia.

La división provincial fue en muchos sentidos infortunada, porque las provincias tienen muy poca realidad, y dejó a las regiones sin centros de coordinación y, sobre todo, de representación. Barcelona es solo la capital de la provincia de su nombre, y no, como siempre había sido, como debe ser, de Cataluña. Entendámonos. Barcelona es el centro de atracción de Cataluña entera, que gravita hacia ella, y de manera abrumadora; pero como Barcelona no es la capital, no tiene «deberes» respecto de Cataluña, no tiene una misión definida que cumplir, una función de «servicio», y la relación entre Cataluña y Barcelona es unilateral o, si se prefiere, de dirección única.

Barcelona se ha desarrollado maravillosamente, ha adquirido pujanza, se ha convertido en el imán de todas las comarcas catalanas, pero con un mínimo de reciprocidad. Cataluña entera está «barcelonizada»; creo que urge realizar el movimiento inverso: la «catalanización» de Barcelona.

El Barrio gótico de Barcelona me parece, en muchos sentidos, una de las piezas capitales de España. No sólo por su extraordinaria belleza, sino porque es el mejor ejemplo de arquitectura *civil* de toda la Península, la expresión más alta de lo que es una ciudad; mientras en casi todas partes han dominado lo militar y lo religioso, hasta el punto de que en muchas ciudades lo civil parece un residuo, una especie de «excipiente» destinado a llenar los intersticios entre los edificios de la milicia y de la Iglesia, en Barcelona lo civil se afirma serena y orgullosamente, en torno a la Plaza de San Jaime, en los edificios finos y a la vez espléndidos, con el maravilloso patio de la Diputación, con esa mínima fuente donde el agua se vierte sobre la «verdinosa piedra», bajo la imagen de San Jorge. Y es la Catedral, incorporada a ese mundo ciudadano, y la Plaza del Rey, y el prodigioso Tinell, y la Casa del Arcediano, junto a las calles menestrales, de burgueses y artesanos, de tiendas y talleres, donde florecen todavía los oficios, calles y plazas llenas de vida cotidiana, desde Santa María del Mar a Santa María del Pino, o por la calle de Moncada, tan conmovedora.

Yo veo ahí toda la historia de Barcelona, la historia catalana que siento como propia, como parte irrenunciable de mi realidad; como la siento en las Atarazanas, que permiten ver la fabulosa proyección marinera, mediterránea, de Cataluña; y en el Ensanche, concebido magnánimamente, no para su día sino para los que habían de seguir, que todavía hoy tiene holgura, decoro y señorío; y en los barrios que fueron distantes, como San Gervasio, y que han venido a ser las zonas más entrañables y recoletas de Barcelona. Y no olvidemos las porciones «turbulentas» de la ciudad, que nos recuerdan que es una gran urbe, y un puerto mediterráneo, y un lugar de fermentación y disociación, porque la vida real no es un idilio.

Pero Barcelona vive por debajo de sí misma, en cierto modo ausente. Yo quisiera verla tomar posesión de esa historia gloriosa, revestirse de esa grandeza de un pasado no extinguido, actualizarla, ponerla «a la altura del tiempo», proyectarla sobre el escenario nacional y más allá. Estoy deseando ver cómo Barcelona recoge toda la herencia catalana, cómo se siente responsable de ella, íntegra, con sus conexiones del pasado y del futuro; cómo la articula con la inextricablemente unida de Aragón, cómo la hace funcionar con plenitud dentro de la España total. A esto llamo la catalanización de Barcelona.

Es cabeza de Cataluña, pero si hay algo vinculado a un cuerpo es la cabeza. Y si el cuerpo no crece, vive, se desarrolla y condiciona la vida del organismo, se produce una anomalía y se puede llegar a una psicología de «cabezudo», de fenómeno de feria. Barcelona necesita de Cataluña entera para ser quien es, y para serlo donde está: en España, y con ella en Europa, en Occidente, en el mundo. Las vicisitudes de la historia española, tan pocas veces inteligente, han ido obturando innumerables posibilidades históricas; pero subsisten más de las que nuestro pesimismo nos hace pensar. La división provincial, al fragmentar las regiones, ha oscurecido el hecho más notorio y fecundo de la formación de España: que esta ha sido el resultado de una serie de «incorporaciones» y no de «anexiones». Asturias y León, León y Castilla, el Reino de Aragón y el Condado de Barcelona, unidos en la Corona aragonesa; Castilla y Aragón, unidos en España. A cada paso, en lugar de un elemento «más grande» que englobase al menor, aparecía una tercera realidad distinta y superior a los componentes, una verdadera creación o innovación histórica, dentro de la cual subsistían, absorbidos, potenciados, los dos elementos integrantes. (La excepción fue Portugal, anexionado tarde, a destiempo, cuando había avanzado el proceso nacionalizador, que nunca llegó a «incorporarse», y por eso no «prendió» y se desgajó a los sesenta años de unidad.)

Esa división provincial ha abolido las capitalidades regionales, las ha desdibujado, ha privado a España de órganos fundamentales para su vida. Adviértase que esto ha acontecido a *todas* las regiones, empezando por Castilla. Madrid es la capital de España, pero no ha sido nunca capital de Castilla, y Castilla jamás la ha sentido así. Por eso el diálogo entre Barcelona y Madrid, que debería ser intenso y constante, fraterno y competitivo, tiene que plantearse en la perspectiva justa, quiero decir no como si se tratase de dos ciudades aisladas, ni como la representación de Cataluña y Castilla, sino que Barcelona tendría que asumir el peso de Cataluña entera y

Madrid *también* ya que su única justificación es la responsabilidad global de la empresa total española.

Prácticamente, ninguna región tiene capital; Castilla menos que ninguna: tendrían alguna pretensión a ella —insuficiente— Burgos, Valladolid, Toledo; Madrid, ninguna. ¿Y en Andalucía? Sevilla, pero Granada; y no olvidemos Córdoba; y quién sabe lo que tendrían que decir Málaga y Cádiz. Salvo las regiones uniprovinciales o menores —Asturias, Navarra, Murcia—, la capitalidad es problemática, con dos únicas excepciones: Aragón y Valencia (no deja de ser curioso que ahora se esté queriendo enturbiar este hecho transparente).

Pero hay que advertir dos cosas: primero, que hay que huir, cuando se habla de España, de todo esquematismo, de todo espíritu de «simetría», que no hay que proyectar automática e inercialmente a todo el país lo que se ha impuesto como cierto para una porción de él; y segundo, que lo decisivo no es lo nominal y administrativo, sino la «función» efectiva de la capitalidad. Poco importa —o no tan poco, pero no demasiado— que se refleje más o menos en textos legales; no es lo decisivo que la capitalidad regional esté concentrada o desdoblada: lo que cuenta es que exista, que haya centros activos de afirmación y expresión de la personalidad, de irradiación y responsabilidad, de manifestación o escenario, de interacción y cooperación en la gran empresa española, determinada por medio milenio de historia irreversible, que a su vez no ha hecho más que recoger en sí el movimiento convergente de todo el pasado medieval. La suerte está echada. Hay un verso de Quevedo que me parece maravilloso; tanto, que lo elegí para título de mi último libro; es el precipitado de una larga experiencia vital de aquel hombre tremendo y melancólico que sufrió en sí mismo los reveses personales junto con los de su pueblo; el verso dice así:

el tiempo que ni vuelve ni tropieza...

9

BARCELONA Y SU CONTORNO

He dicho que Barcelona no se parece a ninguna otra ciudad de Cataluña; hay que agregar que a quien menos se parece es a las ciudades próximas, de las comarcas del Vallés y Bages, las que constituyen la periferia industrial, sobre todo textil, de Barcelona. En algún sentido, estas ciudades grandes, pobladísimas, que representan una fracción decisiva de Cataluña, son lo contrario de Barcelona. ¿Cómo es esto posible? Y ¿qué significa?

Confieso que no lo sé. Apenas puedo hacer más que preguntar. Solo tengo primeras impresiones. Es cierto que un refrán afirma que «la primera impresión es la que vale». No diría yo tanto; pero sí afirmaría con toda certidumbre que «la primera impresión vale». Y la segunda y la tercera, si no quieren errar, tendrán que conservar aquella primeriza, interpretarla y dar razón de ella, en lugar de darla por nula e inexistente.

Desde el punto de vista urbano, Barcelona es una ciudad magnánima. A veces por su tamaño —el Ensanche, las ampliaciones recientes, las grandes avenidas, la Plaza de Cataluña, todo Montjuich—; otras veces, por la dignidad, la nobleza, la «grandeza» de las formas —si vale la expresión un tanto paradójica: ¿es que las formas pueden ser «grandes»?—, como en la Barcelona del Barrio gótico. El mejor ejemplo sería la Diputación: es un edificio de tamaño moderado, casi modesto; ¿quién negaría su grandeza, su capacidad de representar y simbolizar la historia viejísima e ilustre de Cataluña?

Nada de esto encontramos en las ciudades vecinas, afectadas por no sé qué mezquindad arquitectónica y urbanística. Más aún: mientras Barcelona es una ciudad serena, sobriamente gozosa, donde la complacencia en la vida se advierte por todas partes, la impresión radical que producen las ciudades cercanas —con la parcial excepción de Sabadell— se resumiría en una sola palabra: *abandono*. Si yo me hubiera encontrado de repente en Manresa, en Tarrasa, en otras ciudades de estas comarcas, sin saber dónde estaba, hubiera hecho en seguida mi composición de lugar. Son —hubiera pensado— ciudades «venidas a menos»; por aquí sopló hace mucho tiempo un viento fugaz de prosperidad, crecieron, atrajeron gentes; luego todo eso pasó; los incentivos se alejaron; se perdió la riqueza, y con ella la voluntad de empresa y el sabor de la vida; se inició una «liquidación»; se pensó que todo aquello se abandonaría un día no muy lejano. ¿Para qué hacer nada? ¿Para qué esforzarse y esmerarse? Las ramblas con plátanos fueron sin duda languideciendo: las casas se fueron deteriorando, cada vez más destartaladas y sin reparaciones ni renovación: ¿para qué ya? En ninguna parte de España he visto formas urbanas más «resignadas», más «renunciadoras», más «desalentadas» —estas son las palabras que se me vienen a la mente si he de expresar mi impresión—. Solo en algunos barrios de la pequeña clase media de Madrid, del Madrid galdosiano, del Madrid barojiano —que es otro— se puede advertir un fenómeno análogo: el de las zonas urbanas que saben que sus días están contados, que «ya no vale la pena».

Ahora bien, resulta que, no es así. Que la prosperidad no ha pasado por estas comarcas, sino que permanece en ellas; que son las porciones más ricas de Cataluña y de España entera. Que no se van a abandonar; que no pertenecen al pasado, sino al presente y al porvenir; que no menguan, sino crecen y se dilatan, se unen, tienden a formar una enorme concentración urbana, una «zona metropolitana», millonaria en hombres, multimillonaria en riqueza. Es la fórmula misma del problema, como Ortega gustaba de enunciarla: el palo sumergido en el agua, recto al tacto, quebrado a la vista. ¿Cómo saber a qué atenernos? Mientras no lo consiga, se me escapará algo esencial de Cataluña.

* * *

Se aventuran algunas hipótesis. La industria va siempre acompañada de la fealdad; lo utilitario desconoce o desdeña la belleza; esas zonas fabriles, dedicadas al trabajo y al rendimiento, ¿cómo van a ser hermosas? Quizá, quizá; pero no me convenzo. La industria se alió con la fealdad en sus comienzos balbucientes, cuando todo eran tanteos y ensayos que terminaban en la inadaptación de las formas antiguas a las funciones nuevas; pero hace mucho tiempo que esto pasó. Hoy, indistintamente, la industria segrega fealdad o respeta la estética. Un ejemplo bien claro es Puerto Rico, prodigiosamente industrializado en veinte años y afectado por ello en grado mínimo, muy poco en amplias zonas, en todo caso fuera de las fábricas mismas. Porque hay que añadir que en estas ciudades catalanas no hay solo —ni principalmente— fábricas y talleres: hay viviendas, calles, población.

¿Será quizá que los pobladores de ellas no son catalanes de origen, sino inmigrantes de otras regiones, aragoneses, murcianos, sobre todo andaluces? Parece dudoso que esto sea una buena explicación: en Barcelona hay también enorme proporción de forasteros, y las cosas tienen otro carácter; hay fealdad en barrios de aluvión, pero es la fealdad de lo provisional, no la de lo destartalado y abandonado. Además, los andaluces, en su tierra, llevan la belleza por todas partes, parecen segregarla y verterla sobre las formas más humildes. Finalmente, estas ciudades, aunque ya de antiguo con inmigración, se han formado antes de que esta fuera inundatoria; y son ciudades «viejas» —no antiguas—, ajadas y desmanteladas.

¿No será que estén demasiado cerca y demasiado lejos de Barcelona? La época de crecimiento de estas ciudades —los últimos treinta años del siglo pasado y los primeros de éste— representó un atroz descenso del gusto; España entera se llenó de adefesios arquitectónicos, quizá porque las cosas empezaron a hacerse «por principios» (malos principios) en lugar de seguir la buena tradición de artesanía de los viejos maestros de obras, limitados y certeros, fieles a las pautas recibidas, dóciles a la inspiración del contorno, de los materiales, del clima, nada librescos ni pedantes. Cuando las cosas pudieron mejorar, se había producido un enriquecimiento considerable de los fundadores de las industrias; el automóvil acercó esas ciudades a la capital, y las privó de independencia. Pienso si es que las minorías rectoras (o que debieran serlo) han abandonado esas ciudades y solo van a ellas para administrar sus negocios, en una curiosa forma de absentismo. Porque la tendencia española es la inversa de la que predomina en otros países, sobre todo en los Estados Unidos: trabajar donde sea y vivir en la gran ciudad, mientras que el americano, por ejemplo, prefiere vivir en el *suburb*, entre árboles y césped, y reserva la urbe para la labor o la diversión.

Esto explicaría la impresión de negligencia y decaimiento de ciudades tan prósperas; no sé si ocurre así; pero si este fuera el caso, habría que decir que tales ciudades, *económicamente* prósperas, no lo serían de verdad: *socialmente* serían decadentes, casi desmanteladas y ruinosas. La sociedad de ellas no estaría en forma, sino literalmente desvencijada, como los portales sucios, las fachadas desportilladas, las escaleras oscuras y mugrientas.

* * *

Confieso mi preocupación, mi desazón. La hermosura habitual de Cataluña, tan esperanzadora, falla en esta comarca. Ya sé que en otros lugares hay también zonas decaídas y «venidas a menos»; en Gerona, por ejemplo, en algunos lugares de Lérida. Pero el fenómeno es enteramente distinto: aquí hay *formas,* y el decaimiento está revestido de decorosa modestia, cubierto de una pátina que acusa la presencia sucesiva de vidas que han ido pasando, cada una con su sentido, su gesto, sus proyectos. Personalmente me siento mucho más atraído por las casas destartaladas que se miran en el Oñar —tan vivas en la obra de Gironella— que por los grandes hoteles suntuosos y los *bungalows* superpuestos sobre la tierra y la roca de la Costa Brava. Hay una Cataluña envejecida, excesivamente tradicional, nada progresista, escasamente utilitaria, poco parecida a la imagen tópica de esta región —ya advertí que hay muchas Cataluñas—, y me parece de sumo interés, de intenso sabor, una posibilidad buena para guardar entre las otras.

Sería urgente atajar ese otro decaimiento sin formas, invertir antes de que sea tarde ese proceso de rebajamiento estético. A la larga, la fealdad urbana causa deterioros irreparables en las almas y en las formas sociales. Me preocupan mucho dos fenómenos que pueden parecer inofensivos de la Alemania actual: la falta de gracia de la reconstrucción, la baja calidad del cine. Cada vez que reparo en ellos siento temor y una confusa zozobra.

La importancia demográfica de las zonas industriales próximas a Barcelona es muy grande; además, son el centro principal de concentración de los inmigrantes de otras comarcas catalanas y de otras regiones. En cierto sentido, son los órganos de la asimilación. ¿No es alarmante que sea allí, precisamente allí, donde acontezca la incorporación de millares de personas a la vida urbana de Cataluña? ¿Puede haber paz en los ojos, como en las tierras del románico pirenaico, como en tierras de Ripoll o de Gerona, como en los campos de Poblet? ¿Podrán encontrar «la força tota vella i humil que ens agermana», como en el verso de Josep Carner?

Esta podría ser la primera empresa de Barcelona: la elevación a la altura del tiempo, al nivel de su gesto magnánimo, de las ciudades vecinas, crecidas a su sombra, quizá abandonadas por ella, que de ellas recibe tantas cosas. Ahí podría ejercer esa función egregia que yo llamaría la capitalidad irradiante; con otro nombre la capitanía merecida, con títulos actuales de legitimidad.

10
LA REALIDAD REGIONAL

Cataluña es una región con extremada personalidad; esto me parece sumamente interesante, y volveré sobre ello; me parece, además, deseable; nada me inquieta como la evaporación de las diferencias y los matices, como la homogeneización, porque esta provoca una *entropía social* que amenaza con la paralización y la muerte de la actividad creadora. Cataluña tiene además una enérgica *conciencia* de personalidad, lo cual es distinto y menos frecuente en España. No me estorba, por supuesto, esa conciencia, pero me provoca algunas leves inquietudes; una, que los catalanes piensen demasiado en su personalidad, lo cual puede mermar su espontaneidad y, paradójicamente, atenuar esa personalidad misma; otra, parecida al riesgo del hombre que lleva un diario —siente la tentación de vivir «para él», de vivir de suerte que el diario sea muy interesante—; que Cataluña «cultive» su personalidad en lugar de simplemente «vivirla»; y una tercera, muy de temer en nuestras tierras, que se busque la personalidad preferentemente en lo «diferencial», sin advertir que esto sólo tiene realidad y sentido sobre el fuerte torso de los rasgos comunes españoles, desde los cuales se constituye el «quién» originario e irreductible de Cataluña. Porque Cataluña no es quien es por ser distinta, sino por *ser,* con algunas diferencias.

Es evidente que Cataluña ha tenido no pocos motivos para tomar una actitud de suspicacia, y es de elemental honestidad reconocerlo, pero si yo tuviera alguna autoridad para dar un consejo a los catalanes —y es notorio que no la tengo—, sería el de olvidar la suspicacia, aun más allá de los límites en que está justificada, y practicar lo que podríamos llamar, a imagen de la «duda metódica» cartesiana, la «confianza metódica». Sería excelente que se acostumbraran a «dejarse vivir», aun a sabiendas de todos los riesgos, dándolos provisionalmente por inexistentes, persuadidos de que lo más arriesgado es tener presentes todos los riesgos, porque ello frena la espontaneidad, hace imposible la holgura, inhibe ciertas delicadas funciones creadoras que son las que sustentan y nutren la personalidad y hacen posible su auténtico despliegue.

Adviértase que con esto no me refiero a la «afirmación» de Cataluña. En primer lugar, toda afirmación me parece, en principio, buena. Además, el entusiasmo de los catalanes por Cataluña, su apasionamiento por ella, la emoción que ponen en cuanto la toca, me parecen sencillamente ejemplares, sobre todo en una época en que está de moda hacer ascos o tomar un gesto de indiferencia hacia casi todo, y en particular hacia lo que se es. Está el mundo demasiado lleno de gente a quien «le da lo mismo», para quien «tanto da» haber nacido en un lugar como en otro, y si me apuran en uno u otro sexo, y conforta ver a tantas personas abrazadas con fervor a su condición propia. Lo que yo quisiera es ver ese entusiasmo liberado, exento de todo elemento negativo, llevado a su plenitud, que es siempre *efusión* y nunca retraimiento.

Cada vez resulta más evidente que el hombre necesita tener raíces, porque es una realidad *circunstancial*. Y no hay más manera real de universalidad que la que arranca de una inserción local viva y precisa. El que es «de todas partes» o «de cualquier parte» no es de ninguna, y sólo el que se arraiga fuertemente en la sociedad a la cual pertenece puede, desde esa perspectiva, vivir auténticamente las demás.

Esta es la función inexcusable de las regiones de Europa, que en un libro teórico, *La estructura social,* intenté precisar hace diez años. Las regiones, decía yo allí, son «sociedades insertivas», a través de las cuales el individuo se inserta en la sociedad más amplia de la nación. El modo *concreto* de ser español es ser andaluz, castellano, catalán, gallego, aragonés, vasco... No es fácil ni probable ser «directamente» español; en algunos casos, imposible. Concretamente, en el caso de Cataluña. Cuando se pretende —porque hay gente para todo— que los catalanes no sean o sean menos catalanes para que sean verdaderamente españoles, se comete el más grave error: sólo siendo «muy» catalanes —lo cual no quiere decir catalanistas, porque el «ismo» suele encubrir una debilidad o una inseguridad— pueden ser plena y holgadamente españoles.

En el caso de una región desdibujada o residual, quizá otra cosa sea posible; en una región de tan firme y acusado perfil como Cataluña, solo la energía y vitalidad de la sociedad *insertiva* hace posible la efectividad de la *inserción*. Nada hay más antiespañol que el intento de disminuir la personalidad de Cataluña.

* * *

Me explicaré un poco más. Cuando la personalidad de Cataluña, por desfallecimiento propio, por incomodidad, por limitaciones externas, está debilitada y en crisis, la atención de los catalanes se concentra automáticamente sobre sí mismos, de manera enfermiza, desconfiada y suspicaz. Recuerdo una admirable página de Ortega, un brevísimo ensayo de *El Espectador*, «Cuando no hay alegría», que comienza con estas palabras: «Cuando no hay alegría, el alma se retira a un rincón de nuestro cuerpo y hace de él su cubil. De cuando en cuando da un aullido lastimero o enseña los dientes a las cosas que pasan. Y todas las cosas nos parece que hacen camino rendidas bajo el fardo de su destino y que ninguna tiene vigor bastante para danzar con él sobre los hombros. La vida nos ofrece un panorama de universal esclavitud». Y después de mostrar que entonces hacemos el descubrimiento de la soledad de cada cosa, agrega: «Y como la gracia y la alegría y el lujo de las cosas consisten en los reflejos innumerables que las unas lanzan sobre las otras y de ellas reciben —la sardana que bailan cogidas todas de la mano—, la sospecha su soledad radical parece rebajar el pulso del mundo.»

Cuando esto ocurre, la pérdida de las conexiones repercute sobre la propia realidad, la disminuye y rebaja, nos deja reducidos a una quejumbre. Por el contrario, cuando la vida late con fuerza, cuando nos abandonamos a su ilusión y su fruición, cuando salimos de nosotros mismos —vivir es que el dentro se haga un fuera—, nos encontramos entretejidos con las efectivas conexiones que nos ligan a toda la realidad. Cuando Cataluña se siente ser, vivir, proyectarse, se encuentra donde está: inextricablemente ligada a la realidad total española, inserta en la sociedad nacional, de cuyas presiones, vigencias, estímulos, proyectos vive y está hecha.

Una Cataluña sana, entera y de pie, gozosa y segura de sí misma, se reconocería como íntegra y radicalmente española, y no menos que ninguna otra región. Si se siente a veces menos española, es —no se olvide— porque se siente menos catalana, o piensa que algunos quieren que lo sea, y clama, como Michelet, que tanto gustaba de recordar Unamuno: «¡Mi yo, que me arrancan mi yo!»

¿Se imagina siquiera que Andalucía pudiera ser menos andaluza? Si alguna vez lo fuera, sería *menos,* y por tanto menos española, menos europea, menos humana. Y a la inversa, si un día se sintiera «sólo» andaluza, desgajada del resto, en lugar de irradiar sobre el conjunto nacional y sobre todo lo que se le ponga a tiro, automáticamente sobrevendría un descenso de su realidad

—«naranjo en maceta»—, su vitalidad decaería, bajarían los grados de su propia condición andaluza.

Y este es el riesgo permanente de Cataluña, su tentación mayor: la retracción. Pero ¿hay algo más español? ¿No ha sido España el país que desde mediados del siglo XVI empieza a sentirse segregado y ajeno, incomprendido, acaso desdeñado u odiado, distinto y aparte? ¿No se va rodeando desde mediados del siglo XVII, desde el reinado de Felipe IV —no se olvide— de una «muralla de la China», aquejado de un proceso de «tibetanización»? ¿No es la «preocupación de España» un rasgo *constante* —esto es lo grave— de nuestra vida? ¿No se hace la historia de nuestras letras una larga quejumbre? ¿No se emboza España en su capa, absorta en sí misma, sin querer mirar más allá?

Baudelaire, el genial Baudelaire, en su poema «Don Juan aux enfers» dejó la más sobrecogedora imagen de esta actitud que para mí simboliza la permanente tentación española. Don Juan, en la barca de Caronte, cruza la laguna, camino de las mansiones infernales; sus rivales, sus amadas, se vuelven hacia él, le hablan, le imploran. Don Juan, tranquilo —con la vieja «gravedad» española, con el «sosiego» que acabó por estilizarse y amanerarse—, encorvado sobre su espada, mira la estela de la barca —¡mira hacia atrás!— y no se digna ver nada:

Mais le calme héros, courbé sur sa rapière,
regardait le sillage et ne daignait rien voir.

He visitado por primera vez este año cuatro monasterios ilustres: Silos, junto a la cuna de Castilla, al lado de Covarrubias y San Pedro de Arlanza, el de Fernán González; Ripoll; Poblet, que guarda las tumbas de los viejos reyes de Aragón; Santes Creus. He sentido en los cuatro lugares la misma emoción, el mismo sentimiento de pertenencia, la impresión de estar tomando posesión de otros tantos fragmentos de mi historia, de mi herencia, de mi propia realidad personal. No me he sentido más cerca de uno que de otro; ninguno me ha parecido más propio o más ajeno. Todos son irrenunciables, porque los cuatro «nos han pasado» y, a pesar de todos nuestros esfuerzos, han quedado aquí, aunque no sin menguas.

¿Habrá alguien para quien no sea así? Mucho lo temo. ¿Es posible que alguien sienta de una manera en San Isidoro de León y de otra manera en Poblet, que «elija» entre los Ordoños y los Jaimes? No es cuestión de amor, familiaridad o preferencia. Me parece admirable que para un catalán sean Montserrat o Poblet, Ripoll o Santes Creus, maravillas predilectas; que un madrileño ponga primero el Escorial; que para un gallego tenga Santiago un sentido más entrañable y único. Lo que no comprendo es que haya alguno que no viva todos como igualmente «suyos», que no se sienta radicalmente mutilado y empobrecido ante la idea de que cualquiera pudiera no pertenecerle —lo cual quiere decir no pertenecer a lo que ellos significan, a la realidad histórica, multiforme y única, que los ha creado—.

La región es una maravillosa, entrañable realidad, hecha de formas cotidianas, de recuerdos, de costumbres, de finas modulaciones, de proyectos; es un instrumento que se incorpora, bien templado, a una orquesta. No hay impiedad mayor que querer destruir la realidad regional: para que no sea o para que sea otra cosa.

11
CATALUÑA Y LA HISTORIA

No es indiferente el momento en que una sociedad llega a su estado adulto, o aquel otro en que adquiere conciencia de sí misma, o aquel tercero en que la recobra al iniciar una etapa nueva. Algunos rasgos de ese momento, de esa circunstancia histórica precisa, pasan a la sociedad en cuestión, quedan incrustados en ella; por lo menos, en la imagen que tiene de sí propia; y como esa imagen es un ingrediente suyo capital, esto anula la restricción que acababa de hacer.

Una diferencia decisiva entre los Estados Unidos y la América hispánica es que ésta es más antigua como sociedad, pero más reciente como Estado, y que ambas dimensiones proceden en las dos Américas de épocas (y estilos) distantes. Hispanoamérica data de principios del siglo xvi; los Estados Unidos, de la primera mitad del xvii; la independencia de estos últimos, es decir su constitución como tales Estados Unidos, arranca del siglo xviii, mientras que las Repúblicas hispanoamericanas datan de los primeros decenios del xix. Si los Estados Unidos son, como «estilo», empiristas y racionalistas, Hispanoamérica es, en sus dos niveles históricos, renacentista y romántica. Las consecuencias han sido muy respetables.

Cataluña es una vieja tierra y una vieja sociedad, tan antigua como las demás que contribuyen a la génesis de España. Se inicia históricamente en el mismo proceso en que los cristianos de la Península intentan «rehacer» la monarquía visigoda, anegada por la invasión árabe, mientras que en realidad están haciendo algo innovador y bien distinto. Pero la «renaixença», el rebrote, a cuatro siglos fecha, del cultivo literario de la lengua catalana, la proyección de Cataluña con figura distinta, y ahora ligada al catalán, procede de los años centrales del siglo XIX, del Romanticismo tardío, refrenado en toda España por la opresión de Fernando VII y que se «destapa» súbitamente en 1833, al desaparecer el absolutismo con la muerte del monarca. Es bien sabido el papel que tuvo el espíritu romántico en la resurrección de formas tradicionales, en el gusto por el color local, en el afán de salvar las peculiaridades, frente a la tendencia homogeneizadora del siglo XVIII; pero hay otro aspecto no menos importante, ligado a esa época, y en el que se piensa con menos frecuencia y atención.

Iniciado con la Revolución francesa, desarrollado durante las guerras napoleónicas, el nacionalismo invade el siglo XIX y se convierte en la fuerza política dominante. El siglo XVIII había insistido en la unidad de Europa, y hacia 1770 ó 1780 se cree que las diferencias entre pueblos son secundarias, que «Europa es una escuela general de civilización», que las naciones, por encima de sus fronteras, están unidas en la empresa de establecer en todas partes «las luces». El «*Vive la nation!*» del soldado herido en Valmy, que tanto impresionó al perspicaz Goethe, es el primer síntoma de la nueva actitud; estamos en 1792; desde entonces hasta 1848, después hasta 1870, cuando Italia y Alemania logran su tardía unidad nacional, la marea nacionalista sigue subiendo y se desbordará con todos los fascismos de nuestro siglo.

La nación es cosa mucho más antigua: hay naciones desde fines del siglo xv: España, Portugal, Francia, Inglaterra; luego, Holanda y Suecia, y pocas más —porque todo lo demás es relativamente dudoso e inseguro—. Las últimas promociones nacionales llegan a ese estado cuando la realidad y la idea de nación están empezando a declinar; llegan a ser naciones ligeramente a destiempo, y por eso son «nacionalistas». Pero esa exasperación de la idea nacional, convertida en mito, hace que se aplique un concepto histórico-social que designa una *forma* de convivencia como un «valor»; y entonces se piensa que lo que no es nación es *menos* que nación; que la nación es la perfección y la plenitud.

Esto hace que se proyecte una violenta interpretación «nacional» sobre los países hispanoamericanos, los cuales adoptan «seudomorfosis» nacionales, inspiradas en muy distintas condiciones europeas, enteramente incoherentes con su propia original realidad; las consecuencias de esto para Hispanoamérica han sido enormes, y en gran medida desastrosas.

Los catalanes se vuelven una y otra vez sobre su historia; y durante mucho tiempo, con un descontento creciente y doble: primero, de cómo se ha escrito; segundo, de cómo ha acontecido. La historia de España se ha escrito, efectivamente, desde una perspectiva castellana. No falta alguna justificación para ello, pero esta es insuficiente. Castilla fue durante la Edad Media mucho mayor, más extensa y poblada que Aragón; fue la que tomó sobre sí el peso principal de la Reconquista, mientras Aragón y Cataluña se orientaban hacia el Mediterráneo; la formación de España fue más —aunque no exclusivamente— una empresa castellana. La historia de España desde el siglo xv se ha solido escribir como una «continuación» de la Castilla, a la cual se incorpora en cierto momento la Corona de Aragón, como un río afluente. Y cuesta trabajo integrar de verdad la perspectiva catalano-aragonesa en la génesis de España: una tarea apremiante, no sólo histórica, sino política.

Desde la «renaixença» se intenta remediar esto, se acomete la tarea de escribir de nuevo la historia de Cataluña; y entonces sobreviene otro contratiempo, o una serie de contratiempos. Primero, Cataluña no ha estado nunca «sola», sino por lo pronto con Aragón. Para algunos, los males empezaron con el matrimonio de Petronila con Ramón Berenguer IV, allá en el siglo xi: desde entonces —piensan— los catalanes han estado manejados y zarandeados, primero por aragoneses y luego por castellanos. Parece difícil de comprender tanto pesimismo. Otros, en cambio, cometen con Aragón la misma injusticia que con Aragón y Cataluña ha cometido parte de la historiografía moderna, y «catalanizan» sin más la historia de la Corona de Aragón. En general hay una inquietante propensión a sustituir la historia de los hechos por una historia de los deseos —o de los temores—.

Pero no es esto lo más grave. Lo que ha pesado terriblemente sobre la visión catalana de la historia —y por tanto sobre la proyección del futuro— ha sido la sobreestimación que de la nación tuvo la época postromántica. Al parecer que la nación es lo sumo, se deseó esta condición para Cataluña, se proyectó sobre ella una interpretación nacional, que al no ser viable se convirtió en «nacionalista». Ahora bien, Cataluña no ha sido nunca una nación —como no lo fueron Atenas o Roma, o el Califato de Córdoba, o Venecia; como no lo han sido nunca Aragón o Galicia o Castilla. Si se intenta una historia «nacional» de Cataluña, se la convierte en la historia de una frustración— como lo sería una historia «nacional» de Castilla. En la Península Ibérica no ha habido más «nación» que España y, desde cierta fecha, Portugal. Y hubo nación cuando ya no eran viables los Estados prenacionales anteriores; cuando los problemas castellanos y aragoneses *no tenían solución* —se entiende, solución castellana o aragonesa—, y sólo había para unos y otros una solución española, creadora, innovadora, irreductible por igual a Aragón y a Castilla.

Si se interpreta Castilla o Cataluña como «naciones», la consecuencia irremediable es el descontento y si se

113

apuran las cosas la infelicidad. Si la ballena es interpretada como ave, no hay que negar que es un ave lamentable.

Ni Castilla, ni Aragón, ni Cataluña —en la medida en que se distingue de Aragón—, ni Portugal eran naciones en la Edad Media, porque en la Edad Media no había naciones. Y todos estos Estados sentían su pertenencia a una realidad que tampoco era nacional, pero que era efectiva, y se llamaba España. A partir del Renacimiento, estos Estados medievales hubieran podido ser naciones —entramos en la resbaladiza comarca de los futuribles—; hay que decir que sólo uno de esos Estados llegó a ser nación: Portugal (no sé si su destino histórico es enteramente envidiable); los demás se integraron, se incorporaron en una nación que los excedía a todos y era distinta de todos ellos, que los conservaba como ingredientes, que se llamó España. Portugal «hubiera podido» —siguen los futuribles— integrarse en España; de hecho no fue así: su proceso de nacionalización estaba ya muy avanzado en 1580, y por eso no «prendió» en la empresa española; las naciones no se hacen con naciones, sino con otra cosa; a la inversa, con naciones no se hace una nación más, y por eso será un fracaso toda idea de «nación europea»; Europa unida tendrá que ser algo que vaya radicalmente más allá de la nación, sin olvidar que las lleva dentro.

La historia de Cataluña ha sido mal contada en las usuales Historias de España; no por «castellanismo», sino más bien por pereza y falta de claridad (hay que agregar que la historia de Castilla ha sido también muy mal contada, y ahí está Don Ramón Menéndez Pidal para atestiguar cuánto cuesta intentar hacerlo mejor). Pero al iniciar una nueva historia al hilo de la superstición «nacionalista» del siglo XIX, cuya última consecuencia fue el fascismo —todos los fascismos—, se la convirtió en la historia de un fracaso. Y hoy no son pocos los catalanes que viven realmente apesadumbrados, oprimidos por la carga de una supuesta «frustración», abatidos por la conciencia de haber «padecido» una historia lamentable. ¿Puede creerse semejante cosa? Cataluña ha tenido sus malos momentos, como todos los pueblos del mundo, pero bastante menos que la mayoría, y desde luego que los demás españoles; la historia medieval de Cataluña es espléndida y atractiva, y yo estoy deseando que se la recuerde a diario, que se tome posesión de ella, que los catalanes la gocen, y los demás españoles también, que entren en posesión de lo que es también suyo: la herencia de sus abuelos orientales. La Cataluña moderna ha sido fuerte, vivaz, admirada —léase el *Quijote* y se verá el entusiasmo que por ella sentía el castellano Miguel de Cervantes—; desde el siglo XVIII —la época más sana de toda la historia española—, Cataluña alcanza la primacía española en una dimensión por lo menos.

No, no es un fracaso la historia de Cataluña, y no es buena hazaña persuadir de eso a los catalanes. Solo es un fracaso en la medida en que lo es toda vida humana, individual o colectiva; y si se piensa que los males de Cataluña le vienen de haber vivido medio milenio integrada en España, uncida a un destino histórico tantas

115

veces adverso, conviene recapacitar y preguntarse si esos mismos males no se daban ya antes de la unión nacional, si no han aparecido una y otra vez en las tierras hispánicas del Este y del Oeste antes de que se unieran —antes de que hicieran juntas algunas de las cosas por las cuales parece que se justifica la existencia del hombre en el planeta—.

Cataluña «hubiera podido» llegar a ser una nación —una pequeña nación relativamente enquistada—; también hubiera podido serlo Castilla; podemos imaginar —y no sería mal ejercicio— la ficticia historia de la nación Cataluña, de la nación Castilla —si hubieran existido; es posible que si ejecutamos esa imaginación con alguna eficacia y rigor, al volver a abrir los ojos y tenderlos sobre la realidad efectiva, sobre lo que ha sido y es, sintamos una impresión de alivio. En todo caso, para mirar al futuro hay que distinguir pulcramente entre la imaginación y la historia, entre lo que «pudo ser» y lo que «fue» —eso que ni Dios mismo puede remediar y hacer que no haya sido.

12

LA PERSPECTIVA CATALANA
DE ESPAÑA

Estoy intentando lo que muy pocos españoles no catalanes suelen hacer: ver España desde Cataluña. Dije alguna vez que llevamos puesto el mundo como un traje, y desde la niñez queda encajado en nosotros de una manera precisa: Francia o Inglaterra están «delante»; Italia «a la derecha»; América «a la izquierda» y lejos. Cuando nos desplazamos, nos cuesta singular esfuerzo acomodarnos a la nueva perspectiva: pensar en Europa como algo que no está «aquí», sino «allí»; no a la izquierda sino a la derecha. Y no me refiero, claro está, exclusivamente a lo espacial, sino a todo un repertorio de proximidades o lejanías vitales, de interpretaciones, de valoraciones, de promesas y decepciones, de fracasos y esperanzas, de caricias en la sensibilidad y humillaciones, de recuerdos felices o amargos, de cosas familiares y consabidas, de expectativas, ilusiones y temores. ¿Cómo se ve España desde Cataluña, cómo aparece desde la perspectiva catalana?

La respuesta que dé a esta pregunta será probablemente errónea; con toda seguridad, insuficiente. No me arrepiento de haberla hecho; porque aunque ya no escribiera ni una línea más, habría dado un paso hacia adelante: justamente el que significa la pregunta. De puro sernos obvia España, no nos damos cuenta de que es grande y es múltiple, de que tiene distintos estratos, de que sus miembros vienen de diferentes historias convergentes, de que se la puede ver de muchas maneras, y la nuestra —la de cualquiera de nosotros— es solamente «una».

Y hay que seguir preguntando: ¿es que hay una manera catalana de ver España? ¿Es única la perspectiva de Cataluña? Ni lo es históricamente —España ha ido siendo sucesivamente muy diversas realidades ante los ojos catalanes— ni en el presente, y hay que hacer distinciones. Pero conviene intentar por lo menos imaginar el núcleo originario desde el cual esas visiones se organizan, la raíz de la cual, unas tras otras o en el mismo tiempo, han brotado.

* * *

¿Por qué no empezar por los obstáculos? Cada forma mental tiene sus predisposiciones erróneas, sus tentaciones, podríamos decir. En general, se trata de lo siguiente: algo, con un núcleo de verdad, es exagerado; o bien aislado de otros elementos inseparables y de esta manera simplificado; entonces se formula, se repite, pasa de mano en mano y de boca en boca; cuando se piensa en el tema, se dispara automáticamente, en lugar de mirar a la realidad. Ciertas formas estereotipadas sustituyen a las cosas; a veces fueron verdaderas, pero ya no lo son: en ocasiones no lo han sido nunca. Lo más urgente es quitar de en medio esos estorbos y dejar que así la realidad diga su palabra.

Hay dos imágenes contradictorias, pero que resultan obsesivas en la consideración de España frecuente en Cataluña. Son inconciliables, pero se pasa de una a otra sin advertirlo, se utilizan ambas, más allá de toda lógica, reaparecen tenaz, obstinadamente. La primera es la de una Cataluña distinta —en alguna medida opuesta— a «Castilla», entendiendo por Castilla todo el resto de España. Se llama a veces «castellanos», no ya a andaluces, asturianos o gallegos, sino a los valencianos y aragoneses, a los procedentes del viejo reino de Aragón. Allá van todas las enormes diferencias españolas, toda la rica diversidad de las formas y los estilos, a confundirse en una unidad que no es la española, sino otra que nunca ha existido: la «castellana». La contraposición Castilla-Cataluña se convierte así en algo abstracto, y deja en sombra lo que pudiera ser una verdadera y probablemente fecunda polaridad entre Castilla —ahora sí, Castilla sola— y Cataluña, como dos formas —entre otras— de lo español. La consecuencia más inmediata es que se pierde la verdadera significación de Madrid. Madrid no es una ciudad castellana, sino una ciudad española. Es, precisamente, una de las contadas porciones de nuestro territorio que no es regional, sino directamente nacional; y esto, que viene de su elevación desde la relativa insignificancia a la capitalidad, hace cuatro siglos, le da a su vez el título mejor a la capitalidad, que no debe ser regional. La falsa «castellanización» de Madrid suprime uno de los elementos más sanos y adecuados de nuestra constitución nacional. Hasta tal punto es así, que la invasión de Madrid, después de la guerra civil, por multitud de provincianos en cuanto tales ha sido un factor increíblemente perturbador. Me explicaré para evitar todo equívoco.

Madrid ha estado compuesto siempre por españoles nacidos en todas partes. Los «madrileños» suelen ser —solemos ser— personas nacidas fuera de la capital, incorporados a ella y que han pasado, no de una región a otra, sino de cualquier región a un punto de España en que toda ella está presente sin más distinción. En el último cuarto de siglo, y justamente por haber cesado provisionalmente Madrid en sus funciones de capitalidad y haberse repartido estas entre varias ciudades (en ambas zonas), Madrid ha sido «ocupado» por «fuerzas vivas» que tenían o habían adquirido importancia o poder en sus provincias respectivas y trasladaban a Madrid esa condición, conservando sus rasgos. Pocos estudios sociológicos serían más iluminadores que un análisis riguroso de este fenómeno, que se podría documentar con todo detalle. Desde la política —en la medida en que ha existido— hasta los negocios, pasando por la vida intelectual y la llamada «vida social», todo ha estado afectado por este cambio, y habría que precisar en qué medida Madrid ha recuperado su condición «española» y con ella sus títulos legítimos de capitalidad. Y ese estudio mostraría de paso cuáles son los requisitos sin los cuales esta función o no existe o es precaria, y cuáles son las consecuencias que tiene para un país su perturbación o crisis.

122

La segunda imagen es aquella en la cual ciertos rasgos privativos de Cataluña se proyectan automáticamente sobre todas las regiones españolas y sobre Portugal, por si fuera poco. Es lo que pudiéramos llamar la «mentalidad federalista». En vista de que Cataluña presenta algunas diferencias y rasgos propios, y tiene algunas pretensiones a hacer valer de manera inequívoca su personalidad, y que ciertas dificultades de convivencia han surgido repetidas veces a lo largo de medio milenio y nunca se han resuelto de manera enteramente satisfactoria —todo lo cual es muy cierto—, se concluye que la estructura nacional española ha sido un fracaso —lo cual es mucho decir— y hay que sustituirla por otra, basada en principios sociales, genéticos y de soberanía enteramente distintos y que, por otra parte, ni se han puesto jamás a prueba ni tienen en cuenta la estructura real del cuerpo social español. Se trata, ni más ni menos, de un pensamiento inercial y perezoso, que prefiere acogerse a una fórmula prefabricada e igualmente abstracta, en lugar de molestarse en ver despacio cómo son de verdad las cosas.

Poco puede esperarse de estas dos maneras de considerar las cosas. Son, a mi juicio, dos obstáculos que importa eliminar cuanto antes. Y hay que advertir que no son exclusivamente catalanes, sino que han logrado considerable influjo fuera de Cataluña, y no solo en las regiones que tienen algunos problemas abstractamente parecidos a los de Cataluña, sino en todas las demás: son hoy bastantes los españoles de cualquier parte que estarían dispuestos a aceptar alternativamente —y a veces sucesivamente— las dos imágenes que acabo de describir. Son aquellos que no tienen inconveniente en cambiar la realidad por una fórmula, como la madre de Aladino cambió la maravillosa lámpara inagotable, fuente de posibilidades sin cuento, por la lámpara nueva, recién salida de la fábrica, probablemente con una etiqueta colgando.

* * *

¿Cómo se presenta realmente España vista desde la perspectiva de Cataluña? Voy a intentar señalar concisamente los rasgos principales, dejando para más adelante su interpretación.

Empezaré por lo más externo: lo espacial. Cataluña está en un *extremo* de España; no está «rodeada» de tierras españolas sino en posición excéntrica. Está, además, al lado de Francia y del mar: en contacto directo con las tierras que no son hispánicas; para ir a Europa, el catalán no tiene que cruzar tierras no catalanas; le basta cruzar la frontera pirenaica o embarcarse. El torso de España está para él «al otro lado»; cuando mira hacia España no mira hacia Europa; cuando vuelve sus ojos a esta, España queda a la espalda; no es difícil que la pierda de vista. Como el catalán no tiene que «cruzar» España para salir de Cataluña, el provincial y el cosmopolita la conocen muy poco: para muchos catalanes la España no catalana es poco más que un nombre y un aparato estatal; tiene poco relieve, su imagen es vaga y borrosa; son —como un discreto corresponsal me escribía hace poco— «españoles al ocho por ciento».

El catalán tiene muy cerca Barcelona; es una ciudad en todos sentidos enorme: como urbe, como potencia económica, como centro cultural; vista desde tan cerca, a tan corta distancia del ojo, ocupa una porción excesiva del campo visual, obtura la visión del conjunto de Cataluña y del resto de España. Inevitablemente tiende a comparar Barcelona con Madrid; advierte inequívocos rasgos de superioridad en la ciudad catalana, que el cariño y el mejor conocimiento acaso abultan; repara también en indudables superioridades de Madrid; suele interpretarlas como consecuencia de una situación de «privilegio»; no suele caer en la cuenta, en cambio, de que la grandeza de Madrid le viene sobre todo de que allí está presente y actúa España entera; y rara vez se le ocurre pensar que esa misma España integral podría y debería gravitar sobre Barcelona, que una Cataluña realmente ambiciosa lo pretendería y lo conseguiría; pocos imaginan —puestos por una vez a cultivar los «futuribles»— lo que Barcelona podría ser.

Por último, el catalán siente en alguna medida —no nos engañemos; no lo ocultemos ni disimulemos— a España como «ajena». ¿Por qué? Sobre todo, porque cree que España, al no comprender la lengua regional, la relega a no sé qué «tinieblas exteriores». Me parece indudable que el sentir «ajena» a España es primariamente por parte de Cataluña creerse «enajenada». Y esto lleva a muchos catalanes a trazar una divisoria y pensar que si el catalán es «sólo suyo», el español es «sólo de

Castilla»; a renunciar a la mayor parte de su patrimonio histórico.

¿Qué significa todo esto? Sólo quiero adelantar ahora una palabra. No cabe mayor error que pensar que España siente a Cataluña como algo menos propio, ajeno, marginal, secundario, prescindible. La siente como *irrenunciable*. Cuando el español dice «nosotros», incluye radicalmente a Cataluña. No conviene equivocarse. Por otra parte, el catalán siente veleidades en algunas ocasiones de renunciar a la realidad no catalana porque cree que le es impuesta, y automáticamente reacciona con un mecánico desvío; pero si hiciera el «experimento mental» de despojarse de la íntegra condición española, se sentiría desnudo y en un intolerable exilio: el exilio de sí mismo. Para verlo, basta con preguntarse qué les duele a los catalanes a quienes la suerte adversa ha privado de la tierra originaria: su dolor empieza en Cataluña, pero se extiende, entrañable y conmovedoramente, a la España entera arrebatada.

13

LOS OJOS DE ESPAÑA

He insinuado que cuando Cataluña tiene la tentación de creer «ajena» a España, es porque se siente excluida de esta, «enajenada». Es inseparable, en efecto, la visión catalana de España de la visión española de Cataluña. Se ha oscilado entre dos extremos erróneos: la sustantivación de lo diferencial y la negación de la personali-.dad irreductible de Cataluña. Las dos posiciones se condicionan mutuamente y se exacerban; se llevan a extremos en que no hay conciliación, porque en ambos casos se prescinde de la realidad, y así no hay suelo efectivo en que fundar una concordia.

Las diferencias entre las regiones españolas son enormes: entre Aragón y Galicia, entre Andalucía y Asturias, entre Vasconia y Extremadura, ¡qué distancias! Difiere el paisaje, la arquitectura, el estilo urbano, la manera de hablar, el temple de la vida. Siempre se ha gozado de esas diferencias; no solo cada una de las regiones, sino todas las demás (las burlas, las ironías, las caricaturas no hacen sino añadir un elemento de broma y diversión al goce recíproco, como el placer que añade a la vida familiar que unos se rían de otros).

Toda esa diversidad produce contento cuando se la entiende como «nuestra» diversidad; cuando se puede decir: «somos» muy diferentes. No hay quizá región que haya llevado más allá el particularismo que Navarra; y sin embargo no suscita la menor suspicacia. ¿No es extraño? Navarra es el último miembro incorporado a la nación española: en 1512, veinte años después de la conquista de Granada y el descubrimiento de América, ya muerta Isabel la Católica. Además, Navarra había estado proyectada hacia Francia, había sido en buena medida francesa; luego ha mantenido fieramente sus fueros, su autonomía económica, sus maneras propias. ¿Por qué no irrita ni alarma el particularismo navarro? Porque los navarros, al afirmarse, lo hacen como españoles, ¿qué digo como españoles?, como «pluscuamespañoles», y si acaso pondrán en duda la españolía de todos los demás. La desbordante y expresiva personalidad de Andalucía ha sido delicia de España entera, que en ella se ha complacido —y no menos Cataluña que el resto de las regiones, porque siempre, desde una aparente actitud de severidad y «seriedad», el catalán ha tenido vivísima «debilidad» por todo lo andaluz—.

Pero si la personalidad se hace consistir en lo diferencial —no en la modulación de lo común—, automáticamente engendra desconfianza y recelo. Por otra parte, es muy difícil afirmar una realidad omitiendo lo que constituye su torso originario. ¿Es que existe por ventura lo español «puro», prescindiendo de las modalidades regionales que lo componen? ¿Se sostendría, desgajada del conjunto, ninguna fisonomía regional?

La tentación general española —y no especialmente castellana, conste— frente a la insistencia catalana en lo diferencial es la negación de la personalidad catalana. Cuando se llega a este punto, la mala inteligencia no puede sino crecer como bola de nieve. El punto de vista que podemos llamar, para entendernos, «centralista» —y que sería mejor llamar «homogeneizador»—, para defender, para asegurar, para «reconquistar» la españolía de Cataluña, olvida su personalidad, la disminuye, regatea o niega, pretende que se incorpore a la fila de las «regiones homogéneas» de España. No cabe absurdo mayor. Primero, porque no existe esa homogeneidad, sino una espléndida y rica variedad, un coro de enérgicas personalidades; segundo, porque esa pretensión es la que compromete de raíz la sensación de pertenencia a España por parte de los catalanes. Se quiere que sean «menos catalanes» para que sean «más españoles»; yo quisiera, por el contrario, que fueran tan catalanes, tan profunda y plenamente catalanes, que resultara evidente su radical condición española.

* * *

Cuando el español medio tropieza con que alguien a quien considera español lo pone en tela de juicio, le acomete un profundo malestar, una consternación frente a la cual no sabe cómo reaccionar. Los catalanes hablan con frecuencia de «incomprensión»; creo que esa expresión refleja bien lo que sienten, pero habría que precisar las cosas: tienen la impresión de que muchos españoles tienen incomprensión para con ellos; la cosa es quizá personalmente más disculpable, pero objetivamente mucho más grave: tienen incomprensión del problema. No les cabe en la cabeza que pueda haberlo, y piensan que son ganas de complicar las cosas. Como siempre están ya bastante complicadas, ese suplemento provoca irritación.

A la inversa, el catalán medio pero no ingenuo, quiero decir el que no tiene un conocimiento especialmente profundo de las cosas pero vive desde unas fórmulas recibidas que interpretan su condición, propende automáticamente a lo que llamo «la interpretación regional del descontento». La vida humana tiene sobradas limitaciones, penas y miserias; la época en que vivimos está cargada de dificultades y sobresaltos; por si esto fuera poco, el español lleva sobre sí no pocas dificultades, privaciones, restricciones; el hombre de Cáceres, Ávila, Huesca, Oviedo o Córdoba siente el descontento, pero no lo pone en relación con esa particular condición suya; algunos españoles, en cambio, ejecutan esa operación automáticamente: tal vez al levantarse por la mañana y confesarse que las cosas no son como debieran ser, piensan que eso les sucede por ser catalanes; no se dan cuenta de que sus problemas o pesadumbres son mucho más generales; que afectan también —acaso más agudamente— a los demás españoles; que si hay algunos matices propios, lo peculiar es sólo la manifestación o el «punto de aplicación» de causas más profundas y genéricas; que los remedios habrán de ser también a escala nacional. En otras palabras, piensan que les duele Cataluña, cuando lo que les duele de verdad es —por lo menos— España.

El error de esta actitud se ve aun más claro si se atiende a un curioso fenómeno que podríamos llamar la «solidaridad de los particularismos». Hay en diversas regiones españolas grupos que a la vez que se proclaman insolidarios del conjunto, ostentan conmovedora solicitud por algunas otras regiones, precisamente aquellas en que existen grupos análogos. Mientras hacen el gesto de «no tener que ver» con los demás, parecen interesarse por aquellas regiones con las cuales acaban de negar que las una ningún vínculo profundo. Sienten profunda simpatía por las otras lenguas regionales, mientras profesan desdén o desvío por la lengua común, por la única en que pueden hablar y entenderse con los habitantes de esas otras regiones, por la única que hace posible que puedan llamar «nuestras», sin mentir, a las demás. Si España no existiera, ¿qué tendría que ver Galicia con Cataluña, esta con Vasconia? Si no fueran todos españoles, ¿por qué habrían de interesarse mutuamente, por qué tendrían que considerar como algo «propio» las lenguas de los «demás»? Mi lengua es el español, la que se llamó en otro tiempo y puede llamarse todavía —con tal de no insistir en ello— «castellano», pero me parecen también lenguas «mías» —mías españolas, mías por español— el catalán, el gallego, el vascuence; y por eso me importan: su perfección, su libertad, su cultivo, su espontaneidad, el no quedarse ni más acá ni más allá de lo que son.

Y es curioso que la insincera solidaridad de los que

niegan su fundamento caiga con tanta frecuencia en el mimetismo, y con ello en la adulteración de la verdaderamente peculiar y entrañable de cada pueblo. Por ejemplo, la expresión «País Valenciano», que ahora empieza a ponerse de moda. ¿Cuándo se ha dicho así? ¿Cuándo han dicho los valencianos, ni en español ni en valenciano, tal cosa? «País Valenciano» no es más que un calco de «País Vasco», y este nombre a su vez es traducción del francés «Pays Basque». La palabra «país» es en español muy reciente, de fines del siglo XVI o comienzos del XVII, no se ha generalizado hasta mucho después, y nunca se ha aplicado a Valencia cuando esta tenía personalidad política dentro de la Corona de Aragón. Reino de Valencia o simplemente Valencia es lo que se ha dicho, como se dijo primero Vizcaya —por antonomasia— y después Provincias Vascongadas («las Provincias», sin más, muchas veces), y sólo muy tarde País Vasco. (Y si algunos dijeran que «Euzkadi» o «Euskalerría», habría que agregar que no basta, porque hay que nombrar a la tierra vasca en la lengua común, que es además la única que hablan innumerables vascos, aquella en que tienen que hablar de su país los que en vascuence podrían nombrarlo, pero no decir nada más.)

Nada hay más anticatalán que el intento de despojar a Cataluña de sus raíces, de sus hermandades, de las tres cuartas partes de su patrimonio, de la participación en una gran creación histórica, de su salida al mundo con una espléndida lengua *propia* y universal, el español.

Nada hay más antiespañol que la disminución o negación de los miembros vivos de España, de las personalidades inseparables e irreductibles que la constituyen y la integran. La debilitación de Cataluña, el olvido de su historia, la atenuación de su vigor y su relieve, el empobrecimiento o sujeción de su lengua, el intento de borrar los signos y símbolos con que se ha hecho una historia gloriosa, la voluntad de que ingrese en una fila gris de provincias homogéneas, de que la Plaza de San Jaime sea una plaza cualquiera y no la expresión de una espléndida personalidad histórica, todo eso son esenciales, irreparables, inaceptables mutilaciones de España.

Los ojos de España tienen que fijarse con celoso amor sobre todas las realidades que la componen, sin dejar pasar, sin dejar perder la menor de ellas, mirándolas desde todos lados, haciendo que cada una sea lo que es inextricablemente unida con todas las demás de que está hecha.

14
LA CASA CATALANA

La firmeza de trazos de su figura, los recuerdos vivos de su historia, la función demarcadora de la lengua, cierto dolorimiento histórico que hace «sentirse», poniendo en carne viva la sensibilidad, todo ello contribuye a definir enérgicamente la interioridad de Cataluña. El catalán, en su región, se siente intensamente «en casa»; cuando está fuera, es tan fuerte la querencia, echa de menos tanto ciertas formas de familiaridad muy inmediatas, que se siente en alguna medida «forastero», y esto predomina en él sobre su conciencia de pertenecer a una casa más amplia. Muchos españoles sienten escándalo —esta es quizá la palabra mejor— cuando advierten que la mayoría de los catalanes se sienten «más catalanes que españoles». El fenómeno es indudable e inequívoco; pero yo no sé si se lo interpreta bien, ni si debe ser motivo de escándalo.

La mayor parte de los españoles piensan que España es «más importante» que su región; que hay que ponerla «delante», «por encima» —y otras imágenes espaciales—. Se sienten «españoles de tal variedad regional». En algunas regiones, aproximadamente —pero no exactamente— aquellas en que se hablan otras lenguas además del español—, las cosas no son en rigor de la misma manera. Pero no quiero generalizar, porque la situación de esas regiones no es la misma, ni siquiera muy parecida. Ahora hablo solamente de Cataluña. Y aquí las cosas no son así. Intentaré precisar del modo más fiel y honesto cómo me parecen ser. Y agradeceré que los que saben más que yo digan —justificándolo— en qué me equivoco.

Los catalanes no conciben que pudieran ser otra cosa que catalanes. Para otros españoles hay un cierto margen de «azar» en su condición regional: son castellanos, o extremeños, o asturianos, pero quizás hubieran podido no serlo. Los andaluces, si se plantearan la cuestión, pensarían probablemente que «¿qué iban a ser más que andaluces?», pero lo son con espontaneidad, yo diría vegetalmente y como algo obvio. Los catalanes se sienten *radicalmente* instalados en el ámbito de Cataluña, necesitan gozar de ella, sentirla segura, no puesta en cuestión, y esto de un modo explícito, con nombres, recuerdos, costumbres entrañables, sardanas, «monas», tradiciones familiares, como la casa del abuelo. Necesitan fiestas, escudos, banderas, que son las decoraciones de la casa, los tapices que la adornan y la hacen confortable y acogedora, no un campamento en que se está de paso. Mientras no se vea el carácter familiar y doméstico de la vida catalana no se entenderá una palabra de Cataluña, y menos que de nada de sus problemas «políticos».

Y he escrito entre comillas esta palabra porque precisamente creo que los problemas de Cataluña son mínimamente políticos, deficientemente políticos. La politización les sobreviene de interpretaciones exteriores, que acaban por ser adoptadas, y que desfiguran el sentido más profundo de ciertas modalidades de la vida catalana. Hay que ver las familias menestrales de Cataluña, las familias burguesas, la más alta sociedad de Barcelona, en sus verdaderas formas: comiendo en un restaurante, con la abuela y el abuelo y las dos generaciones siguientes, «en familia»; en un coche, de excursión por los Pirineos; en la tienda, el taller o la gran fábrica de tejidos, fundada por el bisabuelo con pequeñas máquinas primitivas inglesas, que han ido sustituyéndose —una vez bien amortizadas— por los hijos y los nietos, añadiendo cada generación un nuevo primor técnico y mejores dividendos, hasta llegar al automatismo; en el Liceo, el gran acontecimiento *familiar* de Barcelona, sostenido con esfuerzo admirable, no tanto para «presumir» como creen los superficiales, ni por supuesto para oír música, sino para verse y encontrarse, para gozar de la gran familia en la que los barceloneses aspiran a entrar. Piénsese en mil detalles varios: Montserrat y los enormes porrones que se ofrecen al que pasa por la carretera, llenos del buen vino de la tierra; los Xiquets de Valls, que «son de la familia» y hacen sus proezas «en casa», ante la comunidad del pueblo; la busca de los «rovellons» o la preparación de las «calçotades»; el río familiar de Gerona, en que los vecinos, además de verse directamente, parecen mirarse al espejo.

Vida privada más que vida pública. Vida familiar entrañable, más patriarcal y casi feudal que en parte alguna, en que al hijo se pone con frecuencia el nombre del abuelo; vida cuya salsa es la lengua, que es fundamental porque es la lengua familiar, coloquial, «dialecto» en su sentido literal de lengua hablada: la lengua de la vida cotidiana. ¿Cómo se va a soñar que los catalanes renuncien al catalán, que es para ellos la expresión de la sustancia de su vida privada y entrañable de todos los días?

Cataluña es una casa, y en ella viven y quieren vivir, seguros y arropados, los catalanes. Sentados ante la «taula» familiar; en paz y sin sobresaltos; porque los sobresaltos, las aventuras, las inquietudes, están bien para la calle o la plaza pública, pero no para la casa.

* * *

¿Deberemos ser «comprensivos» los demás españoles y resignarnos a que los catalanes sean «menos españoles» que los demás, o a que no sean españoles, como algunos dicen? He dicho ya que nada me merece más respeto que la realidad, y hay que hacer constar con la máxima energía un *hecho:* que España siente definitiva e irreversible su realidad actual, la que tiene desde hace medio milenio, e interpretaría como desgarramiento y mutilación cualquier alteración de ella, a la cual reaccionaría, y hasta las últimas consecuencias, como un organismo animal lleno de vitalidad a quien se intenta arrancar un miembro o una víscera. Conviene afirmar con la misma evidencia y energía esto y lo que antes dije sobre la manera de sentirse los catalanes radicalmente catalanes en su casa familiar catalana.

Pero creo que esta consideración —tan frecuente, por eso he creído necesario mencionarla y no eludirla— se funda en un error muy grave. Los catalanes no se sienten «españoles de la variedad catalana», sino primaria y directamente catalanes, pero esto no quiere decir que sean menos españoles, sino de otra manera: no pueden llegar a España sino a través de Cataluña; una España en que Cataluña falte o esté olvidada o disminuida no les parece «suya». No les basta con que Cataluña obtenga beneficios del resto de España, ni con que lo necesite; cuando algunos se duelen del descontento habitual de Cataluña y señalan la multitud de «ventajas» o situaciones de «privilegio», olvidan que el catalán —sin renunciar a ellas— las da por nulas si no van acompañadas de un reconocimiento de lo catalán, y precisamente en lo que tiene de irreductible.

La «suspicacia» catalana viene de su carácter «doméstico»: como Cataluña es una casa, teme toda «intrusión» que perturba su intimidad. No es una región «abierta» por la cual se pueda circular; cuando alguien que no es catalán ocupa un puesto importante en Cataluña, hay un movimiento reflejo de recelo y alarma, como una almeja cierra sus valvas; nos parece la cosa más natural del mundo que los arzobispos de Toledo sean con extraña frecuencia catalanes o valencianos, porque hay un supuesto diferente. Cataluña acoge bien al que llega, con tal que llame a la puerta; entonces se despierta la hospitalidad para con el «invitado». Si las cosas son así, ¿por qué no llamar cortésmente a la puerta de Cataluña?

Son cientos de miles, quizá más de un millón, los forasteros españoles que en ella han entrado en los últimos decenios: aragoneses, murcianos, gallegos, andaluces. Han llegado individualmente, a veces en bandadas, quizá pueblos enteros, pero han entrado como individuos, quiero decir como personas, con relación humana. Muchos han sido «adoptados»; bastantes han aprendido a entender y aun hablar el catalán, con mejor o peor acento; de estos, unos por espontánea aclimatación, por impregnación de las formas de convivencia; otros, por un curioso «snobismo», por asimilarse a un estrato económico y social más alto —los que hacen tarjetas de visita que ponen: «Francesc Garcia i Rodríguez»—. En todo caso, son huéspedes estables, quizá permanentes, de la hospitalaria familia catalana. De hecho —una vez más la realidad— Cataluña no es *solo* catalana, ni siquiera hacia adentro; pero hay que cuidar de que conserve su propia forma, la de esa entrañable modalidad familiar que la constituye.

Y esa casa que es Cataluña, ¿dónde está? ¿Hará falta decir que en España? No en Europa —engañoso espejismo—, no directamente en Europa; en Europa está España, y con ella, dentro de ella, Cataluña. Entendámonos: no quiero decir que para ir a Europa el catalán necesite pasar por Madrid; ni geográfica, ni histórica, ni culturalmente es así, y por el contrario Cataluña ha sido una de las puertas de España abiertas a Europa, por la

144

cual han entrado muchas ideas y estilos europeos, y Barcelona ha sido puerto franco de innumerables mercancías ideológicas y artísticas. Pero Cataluña, como las demás regiones, está en Europa a través de la personalidad global de España; dicho con otras palabras, está *inmediatamente* en Europa en la medida en que es Europa, pero no está *sola,* sino integrada en una totalidad nacional que es la que ha tenido como tal existencia europea.

Los catalanes son tan españoles como los demás —a veces me dan tentaciones de pensar que más que los demás, porque muchos rasgos nuestros aparecen extremosa y exageradamente en Cataluña—; pero son españoles a *su manera,* y esta manera consiste en serlo desde Cataluña, *desde dentro de su casa.* ¿Por qué no reconocerlo? ¿Por qué no ser respetuosos con la realidad? ¿Por qué suplantarla con ficciones? La de que los catalanes son «españoles como los demás» —cuando los españoles lo son de muy diversos modos— o con la otra ficción de que son poco o nada españoles.

Creo que sólo desde la casa, «teniendo ya la casa sosegada», sin sospechas, alarmas ni sobresaltos, sin temor a que nadie viole la intimidad familiar, podrá Cataluña recobrar lo que le falta de vida pública, abrir sus puertas y salir, con la totalidad de su esplendor y sus posibilidades, a la Plaza Mayor.

15

EL MAR ABIERTO

Anant al mar, els homes s'agermanen.

JOAN MARAGALL

Cada época viene definida por un nivel de sus expectativas; no tiene esto que ver, o muy poco, con que las cosas vayan bien o mal. Se podría trazar una historia de España definiendo las mareas de la esperanza en los corazones españoles. Se vería cómo han oscilado, cómo en épocas de dureza o miseria el porvenir se abría como una mañana de sol, mientras en sazones de bienestar y bonanza una niebla gris envolvía los ojos que miraban sin ver hacia adelante.

Lo que más me preocupa a la hora en que escribo es que tantos españoles, sobre todo los de menos de cuarenta años —que son más de la mitad—, quizá por haber oído tomar tantas veces el nombre de España en vano, han venido a enfriar los recuerdos de lo que ha sido, su sensibilidad para las incitaciones y delicias que encierra su vida cotidiana, sus exigencias y sus esperanzas para mañana o para pasado. Tenemos una imagen empobrecida y esquematizada de nuestra realidad, olvidamos

149

enormes porciones de ella, solemos aplicar ideas muy simples y muy toscas para comprenderla e imaginarla, para anticipar su porvenir. Urge iniciar la animosa conquista de España por los españoles, la toma de posesión de su realidad física y social, de su pasado entero, de su futuro, que sólo entonces será *porvenir.*

Y esta ávida posesión de España por sí misma tendría que empezar por la recíproca de sus partes. Falta demasiado entre nosotros el amor de complacencia, aquel que nos hace gozar de lo que tenemos, y no solo lamentar lo perdido. Yo estoy deseando ver amanecer el día en que las regiones españolas se lancen unas sobre otras para conocerse, penetrarse, influirse, admirarse, envidiarse, rivalizar, complacerse en su variedad y diferencias, lo mismo que el hombre y la mujer sienten el entusiasmo de ser tan distintos, tanto que no pueden separarse.

Yo quisiera ver a Cataluña volver para sí misma el consejo que Maragall daba a España en 1898: «Pensa en la vida que tens entorn»; y solo para ella, para la vida de ahora, que es la de mañana, en la vida de ayer; y sólo un poco, de reojo, en la que no fue nunca.

* * *

La política es necesaria para muchas cosas; la mayor parte son tan obvias, que no vale la pena mencionarlas; pero hay una que se suele olvidar: hace falta que haya política para que muchas cosas no sean políticas. Cuando la política falta en su lugar adecuado, el *politicismo* invade los tejidos todos de la sociedad, como cuando la sangre no puede circular por las venas y se derrama por todo el organismo. Yo pienso que desde hace mucho tiempo ha habido anomalías políticas en Cataluña, aun en los momentos infrecuentes en que era posible una política española normal. Si no me engaño, ha faltado la distinción entre una política regional catalana y una política nacional española. Quiero decir que hay problemas específicamente catalanes, internos a Cataluña, respecto a los cuales se debe tomar posición, acerca de los cuales tiene que haber diversidad y lucha civil y civilizada. Y hay otros problemas que exceden el ámbito de la región, que son comunes a todos los españoles —aunque no homogéneamente comunes—, sobre los cuales las opiniones y las divergencias son independientes. En las regiones —y especialmente en Cataluña— tiene que haber dos políticas conexas pero distintas: la que mira al interior de la región, la que se orienta hacia las cuestiones generales. Una de las razones del desvío o el desinterés con que se ha visto en Madrid muchas veces la representación política de Cataluña es que parecía «local», atenta sólo a Cataluña, con una especie de «deformación profesional» que impedía plantear los problemas en toda su amplitud y con referencia a sus verdaderas raíces. La existencia de «partidos catalanes», que tiene pleno sentido dentro de Cataluña, ha sido siempre extemporánea en el área nacional. Si se unifica violentamente en el escenario español la oposición política que puede y debe haber entre catalanes —como entre los habitantes de cualquier sociedad de este mundo— y se la reduce a una postura «catalana», automáticamente se la convierte en una falsedad, a la larga estéril.

Cuando se está en la Plaza de San Jaime, entre el Ayuntamiento y la Diputación, entre el Salón del Consejo de Ciento y el Patio de los Naranjos, con su mínima y verdinosa estatua del caballero San Jorge, se siente que por allí pasan los nervios de un amplio sistema civil, de una organización de convivencia política, de una personalidad colectiva que tiene que expresarse, desear, pretender, obligarse, cooperar a la gran aventura de España. Esta tiene que estar presente con eficacia y grandeza en cada uno de sus miembros, tiene que velar por la plenitud y relieve de éstos. No se trata de «atenuar» a la vez la parte y el todo, sino al contrario, de intensificar la magnitud y dignidad de cada parte, con lo cual se aseguraría la grandeza del todo, que en historia es siempre mayor que la suma de sus componentes.

La gran tentación es vivir por debajo de uno mismo. Para el hombre, por el contrario, vivir es exigirse, vivir es vivir más. Hay que pedir a cada región de España el máximo, y eso requiere que cada una sea lo que es. «Lo que es» y no otra cosa: ni indiscernibles soldados de fila que evolucionan como un pelotón, ni un conjunto de diversidades iguales, también intercambiables en su diferencia, capaces igualmente de obedecer a un toque de corneta que ordene «rompan filas». No; España es tan diversa, que sus regiones tienen diversos modos de diversidad; por eso sus partes, si España está viva, están inextricablemente unidas, son radicalmente solidarias, como los componentes de un organismo, justamente porque cada uno tiene su función propia y común. Habrá que organizar la estructura nacional de España de suerte que se ajuste a su realidad, y la realidad de un cuerpo histórico es la de sus proyectos.

* * *

El entusiasmo catalán por Cataluña me parece una fuerza formidable. Solo quisiera que no fuera nunca narcisista, que no fuera negativo, que fuera siempre magnánimo. Yo aspiraría a promover en todas las regiones españolas, cada una a su manera, algo análogo en fuerza, tenacidad, dedicación. No hay nada que una como la realidad: en las cosas todos tenemos que ser convergentes. El día que España contara con sus regiones bien perfiladas, unidas, elásticas, sin lastre de arcaísmo, sin inútiles abalorios, sin aldeanismos ni espíritu de campanario, sin dar facilidades al eterno troglodita que yace agazapado en nuestra tierra, al acecho de cualquier oportunidad, ese día todo sería posible para España y volveríamos a sentirnos en franquía para alcanzar el nivel actual de eso que llamamos «el hombre».

Hay que imaginar un repertorio preciso y riguroso de tareas propias de cada región, y hay que confiar a cada una la empresa de realizarlas. Hay que dejarlas hacerlo —y exigirles que lo hagan, no que lo anuncien—. Nada aguza tanto el sentido de la responsabilidad como la modestia del tener que hacer. La falta de libertad es la gran encubridora, la gran disculpa para los que no pueden o no quieren hacer nada. Por eso la privación de libertad es la gran corruptora, que hiere al hombre en su misma raíz.

* * *

El coronel Cadalso, andaluz de Cádiz, casi romántico, que sabía sonreír cuando le dolía España, muerto frente a Gibraltar en 1782, escribió en sus *Cartas marruecas*, después de pasar revista a los caracteres de las regiones españolas, estas palabras:

«Por causa de los muchos siglos que todos estos Pueblos estuvieron divididos, guerrearon unos contra otros, hablaron diversos idiomas, se gobernaron por diferentes Leyes, llevaron distintos trajes, y, en fin, fueron naciones separadas, se mantuvo entre ellos cierto odio, que sin duda ha minorado, y aun llegado a aniquilarse, pero aún se mantiene cierto desapego entre los de Provincias lejanas; y si esto puede dañar en tiempo de paz, porque es obstáculo considerable para la perfecta unión, puede ser muy ventajoso en tiempo de guerra por la mutua emulación de unos con otros. Un regimiento todo de Aragoneses no mirará con frialdad la gloria adquirida por una tropa toda Castellana, y un navío tripulado de Vizcaínos no se rendirá al enemigo mientras se defienda otro montado por Catalanes.»

Creo que Cadalso veía con agudeza. Solo tenemos que cambiar sus palabras. Lo que llama «tiempo de paz» equivale a la manera de vivir inerte y estática, en que los pueblos están simplemente juntos; el «tiempo

154

de guerra» significa, tomadas las cosas más en grande y con mayor hondura, la vida como proyecto, empresa, esfuerzo y aventura, como creación. Es menester utilizar esa diversidad y emulación de las gentes de España para que, agrupadas, conquisten nuevas porciones de la realidad; hay que lograr que esos barcos, montados por los hombres de nuestras regiones, por vizcaínos y catalanes, fraternos y rivales, salgan a navegar al mar abierto.

EPÍLOGO A MANERA DE DIÁLOGO

Este libro que el lector tiene en la mano, titulado *Consideración de Cataluña,* nació de un viaje hecho desde Soria, en setiembre y octubre de 1965, por invitación de *El Noticiero Universal* de Barcelona, en cuyas páginas se publicó, en forma de quince artículos, del 28 de octubre al 9 de diciembre. La respuesta de Cataluña a mis escritos fue, desde el comienzo, vivísima. Infinitas cartas; pocos —como era de temer— artículos; después, inacabables conversaciones en Barcelona, que vinieron a sumarse a las muchas que había sostenido durante mi viaje, que completaban las de otras estancias en Cataluña. Debo decir que la máxima parte de las reacciones catalanas a mis artículos ha mostrado una conmovedora cordialidad, una agradecida sorpresa, una admirable capacidad de comprensión, una voluntad de entenderse, de aclarar las cosas, completar mi información, hacer valer los reparos y superar las deficiencias de mi interpretación, tan expuesta a errores. La publicación de estos artículos en forma de libro —siempre fueron un libro en su concepción y estructura— se debe a la iniciativa espontánea de un

159

significativo grupo de catalanes, de aquellos que más entrañablemente sienten la realidad de su tierra, su situación y sus problemas.

No todas las reacciones han tenido, naturalmente, estos caracteres: las ha habido incomprensivas, las ha habido despistadas, las ha habido hostiles; ha habido alguna resentida y desleal. En general, las respuestas «negativas» han sido apresuradas: a un artículo suelto, a los tres o cuatro primeros, cuando todavía no se podía saber lo que yo iba a decir. Se trataba casi siempre de personas que reaccionaban superficialmente, con automatismo; enojadas, más que por lo que en los artículos se decía, por el hecho de que se tratara de esta gran cuestión de Cataluña. No hay que decir que las repulsas me han llegado desde lo que pudiéramos llamar «los dos extremos»; hay que añadir que la menos estimable y simpática no ha sido exactamente catalana.

En mis artículos me hacía principalmente preguntas; pedía respuestas y otras preguntas: diálogo, en suma. Las dificultades que esto tiene son sobradamente conocidas. ¿Hay que renunciar enteramente a ello? De hecho, en forma privada, de palabra y por escrito, he dialogado no poco con muchos catalanes. Después de cruzarse algunas cartas o varias horas de conversación, las distancias se acortaban, resultaba más claro lo que yo había escrito, me parecía más justificado que los lectores catalanes echaran algunas cosas de menos, o tuvieran la impresión de que mi visión era en ciertos puntos inexacta. Casi siempre las diferencias venían de que mis lectores o yo no habíamos tenido en cuenta todos los factores, sino solo algunos. La mirada más detenida, la integración de los aspectos, llevaba seguramente a la concordia, en muchos casos al total acuerdo. He querido ahora, al publicar en forma de libro mi *Consideración de Cataluña,* añadirle un epílogo que recoja hasta donde es posible esos diálogos privados, que hubieran debido ser públicos, y complete lo que de hecho ha sido mi entrañable enfrentamiento con las gentes y los problemas de Cataluña.

* * *

Casi todos los reproches —quiero decir los sinceros y bienintencionados, únicos que merecen ser tenidos en cuenta— dirigidos a mis artículos se podrían resumir en esta fórmula: que *no he dicho* algunas cosas. Yo ruego a esas personas que se hagan una pregunta previa: si hubiera podido decirlas. Y a continuación otra: si era necesario. Porque se dirá —y se dirá bien— que cuando de algo no se puede hablar, es mejor callarse. Si no se pudiera hablar de Cataluña, lo mejor que podría hacerse es callar acerca de ella, no hacer «como si» pudiera tratarse de ese tema. Ahora bien, el hecho incontrovertible es que ha podido hablarse. Será difícil encontrar en España persona más desasistida que yo de cuanto pueda significar «conexiones» o «apoyos»; y no me refiero solo a los oficiales, aun en sus formas más generalmente aceptadas, sino a los que proceden de organizaciones o grupos; he escrito siempre, desde hace más de treinta años, con libertad interior, con independencia y a la intemperie, y nunca he escrito nada que no pensara, ni he cambiado mis pensamientos de manera que tenga que «olvidarme» de mis páginas de hace diez, veinte o treinta años —ni de unas ni de otras—. Pues bien, en estas condiciones he publicado quince artículos sobre Cataluña, que no contienen una sola frase que no me parezca verdadera, de los que no falta nada cuya omisión desfigure la realidad en la mente del lector.

Porque algunas cosas que no se dicen —o, más exactamente, que no se subrayan—, referentes a las condiciones concretas en que se desenvuelven algunos aspectos de la vida catalana, son de sobra conocidas de los catalanes, de suerte que «decirlas» es más bien «repetirlas». Y, aunque me gustaría hacerlo, sería pagar un precio demasiado alto por ello el renunciar a hablar de Cataluña con detenimiento y veracidad, por primera vez en un cuarto de siglo.

Pero ahora las cosas cambian: los artículos de «El Noticiero Universal» iban a ser leídos principalmente en Cataluña; este libro se dirige, no ya a España entera, sino a cualquier lector de lengua española. Y esto hace necesarios algunos subrayados que expliciten un poco lo que podía callarse «de puro sabido». A la vez, conviene hacer constar algunas creencias y algunas ideas que tienen excepcional fuerza entre muchos catalanes, que son presentadas una vez y otra cuando se tocan temas que los afectan en lo más vivo. Porque incluso si se llegara a probar que tales convicciones no son rigurosamente exactas, ellas forman parte de la realidad de Cataluña, y por tanto son un elemento que ha de tomarse en cuenta si no se quiere errar.

* * *

He insistido a lo largo de muchas páginas en la importancia de la lengua; debo decir que en este caso particular toda insistencia es poca. Cataluña se siente «lingüísticamente dolorida»; creo que tal situación es de suma injusticia; pero aunque objetivamente no lo fuera, bastaría con esa manera de sentirse, que es perfectamente efectiva, para que fuera menester modificar decisivamente el actual planteamiento de la cuestión; porque es a todas luces injusta una situación que hace sentirse dolorida a una fracción del cuerpo nacional. Los catalanes se han proyectado en estos años, seguramente más que en ningún otro periodo de la historia, en la lengua catalana; se sienten identificados con ella y con su destino; sienten que sus posibilidades dependen de las de ella; no creen tener —aunque la tengan— más libertad que la lengua; les parece que se extienden a toda su vida —aunque haya porciones de ella mucho más sueltas— las trabas lingüísticas. La consecuencia inevitable es que hay que eliminarlas cuanto antes.

Los españoles no catalanes no saben bien cuál es la situación efectiva: no se dan cuenta ni de la importancia vital que el catalán tiene para cuantos lo hablan desde la cuna, ni de las dificultades con que tropiezan para aprenderlo, para llegar a hablarlo bien, para tener esa primera instalación radical en que se funda toda la vida intelectual, afectiva, personal, en suma. Tampoco suelen darse cuenta de que esas trabas, esa misma imperfección del aprendizaje del catalán, esa instalación deficiente, es lo que cierra el camino libre y abierto hacia la lengua común de España. La vida lingüística *es* espontaneidad, y tan pronto como falta la espontaneidad originaria se vuelven imposibles todas las demás.

Algunos catalanes han objetado a mi imagen de la «casa lingüística» del hombre de Cataluña, una casa de «dos pisos», uno, el catalán, aquel en que se hace la vida más fundamental y entrañable; otro, el «castellano» o «español», al cual se va cotidianamente incontables veces, permaneciendo «en casa». Otros, y de los más calificados por su saber lingüístico y su fervor por la lengua primaria, han encontrado en esa imagen un acierto feliz. Las razones de los primeros me convencen menos que las de los segundos unidas a mi propia impresión; creo que si se hiciera difícil el tránsito entre los dos pisos, si «el de arriba» se prohibiera, se cerrara o sólo se pudiera visitar de vez en cuando, los catalanes se sentirían profundamente incómodos, casi tanto como se sienten hoy.

Yo recomendaría vivamente esta imaginación a todos los catalanes, que tienen presente la presión actual y no caen en la cuenta de lo que podría ser el otro lado del problema. Del mismo modo que recomendaría a todos los españoles que no son catalanes la representación de lo que serían sus vidas si estuvieran sometidos a restricciones de cualquier tipo en el uso del español, aun en el supuesto de que poseyesen con plenitud, y hasta como propia, otra lengua; si no pudieran abandonarse a la pura espontaneidad y comodidad de la lengua materna, si el usarla tuviera que estar teñido de un matiz de deliberación, resistencia, afirmación o protesta, en lugar de ser como el aire que se respira. Piensen si no bastaría esto solo para que todo lo demás estuviera perturbado, viciado, intoxicado; para que la vida personal, la de la cultura, la política estuviesen afectadas por una anormalidad que destruye ese «alvéolo» de que tantas veces hablo, aquel que la sociedad constituye, y donde podemos —si es que podemos— alojar nuestra felicidad personal. Si todos los españoles tuvieran una idea medianamente clara de lo que esto significa —aparte de las interpretaciones que a ello se han dado en Cataluña, algunas inteligentes y justas, algunas estrechas y obsesivas, otras negativas y torpes, una fracción de ellas tan deformadoras de la realidad como lo que pretenden rectificar—, hubiera existido en la sociedad general española holgura suficiente para respetar la realidad y reconocer sus exigencias y articular la convivencia de acuerdo con lo que las cosas son, no con los deseos, menos todavía con el mal humor o las malas pasiones.

Creo sinceramente que los catalanes rara vez han presentado adecuadamente al cuerpo nacional la efectividad de su situación. Se dirá que no pueden; en todo caso, han podido, y no estoy seguro de que, si de verdad quisieran, no pudieran algo más. Las muchas cosas justas que los catalanes han intentado, desde los últimos decenios del siglo XIX, hacer valer al resto de España han solido estar mezcladas con demasiados elementos negativos para que pudieran encontrar una acogida serena y abierta. El error principal ha sido la tendencia a atribuir a «Castilla» —esa entidad mítica que así sólo existe para Cataluña, pero que en ningún otro lugar se reconoce— la responsabilidad de ciertos males españoles que afectan a Castilla tanto como a cualquier otra porción de España, y de los que Cataluña es también responsable.

Quiero decir esto con la mayor energía; pero tengo que agregar con otra tanta que la resistencia de los no catalanes a enterarse de lo que es ser catalán y tener planteada la vida como lo está me parece simplemente inaceptable y —no hay que decirlo— sumamente peligrosa. Es una parte de esa resistencia general a enterarse de quiénes son, cómo están, qué pretenden los demás: obreros, industriales, intelectuales, estudiantes, eclesiásticos, militares, mujeres, jóvenes, cada una de las regiones. El particularismo, en suma, fermento seguro de discordia.

* * *

Creo que al plantear los problemas catalanes, como en general todos los problemas histórico-sociales, se debe evitar una excesiva servidumbre frente a los datos. Quiero decir que siempre hay datos para todo, y se los puede «solicitar» a favor de cualquier tesis. El que quiera mostrar que «Castilla» ha oprimido a Cataluña, encontrará ciertamente algunos hechos en apoyo de esa afirmación; el que quiera sostener que la afirmación de la personalidad catalana es «separatista», no carecerá de datos para apoyarlo. La cuestión sería una evaluación justa de esos datos, y sobre todo hacerlos ingresar en una estructura. Cuando digo que entre los siglos xvi y xviii el Estado español no ha ejercido presiones lingüísticas sobre Cataluña, ciertamente se puede encontrar algún dato aislado que signifique presión; pero antes de invertir la consecuencia e inferir que ha habido una situación de presión lingüística, hay que poner en claro algunas cosas; por ejemplo, si esas presiones ocasionales no han sido sumamente tardías —por lo cual no servirían para explicar las vicisitudes del uso del catalán durante siglos—; segundo, hasta qué punto han sido eficaces; tercero, si han tenido sentido «anticatalán» o más en general «antirregional», o por el contrario, han reflejado sólo el espíritu unificador propio del siglo xviii, que se aplicó por igual, y en todos los aspectos de la vida, a la totalidad de España. Mientras no se haga esto, se podrán obtener argumentos para defender cualesquiera posiciones polémicas, pero no se esclarecerá lo que más importa: la efectiva realidad de nuestra historia.

De igual modo, cuando se dice que durante cuatro siglos, o muy poco menos, el catalán no se ha escrito literariamente, se responde a veces que no es así, y se añade que se puede dar una larga lista de obras literarias impresas y, sobre todo, inéditas, escritas en catalán entre el siglo xvi y el primer tercio del xix. Yo no lo he dudado nunca; pero creo que ese argumento prueba precisamente la tesis que trata de invalidar: sería quimérico intentar hacer una «lista» de las obras escritas en una lengua con cultivo literario real: el español, el francés, el italiano, el inglés; el ingente número de esas obras haría que no tuviera sentido enumerarlas; y, por otra parte, tales listas son innecesarias, porque los autores de esas obras están en la mente de todos, se cuenta con ellos, se imponen a la atención y no hay que buscarlos; que esto no ocurre con el catalán durante ese largo periodo, es notorio; y eso es lo que se quiere decir, en términos históricos y no de leguleyo, cuando se dice que el catalán no se ha escrito literariamente durante ese tiempo; no que no se ha escrito «en absoluto», sino que no se ha escrito con normalidad, frecuencia, calidad y relieve.

Por otra parte, es igualmente notorio que durante esos cuatro siglos ha permanecido perfectamente vivo —las lenguas difícilmente resucitan—, y no sólo como lengua hablada, sino como lengua escrita en los menesteres prácticos y en los que son meros sucedáneos de la conversación —cartas, comunicaciones, documentos—. Nadie ganará nada con alterar la verdad de la situación: ni con negar este hecho ni con inventar una literatura que no ha existido y que, de afirmarse, sólo probaría una inferioridad de Cataluña; quiero decir que a nadie en su juicio y con espíritu leal se le ocurriría enfrentar lo que se ha escrito en catalán entre 1500 y 1850 con la literatura en lengua castellana —o, como yo prefiero decir, española— entre *La Celestina* y *Don Juan Tenorio,* pasando por todo el Siglo de Oro, el XVIII y el Romanticismo.

Y una palabra más sobre esa preferencia. En Cataluña se dice casi siempre «castellano» o «lengua castellana». Así se ha dicho durante mucho tiempo en todas partes; así decimos muchas veces, y yo mismo lo digo con frecuencia, y no hay en ello mal alguno. Únicamente, la tendencia general en el mundo es decir cada vez menos «castellano», cada vez más «español»; esta denominación es hoy más exacta, y por eso parece preferible. Por otra parte, algunos catalanes —y precisamente por espíritu español— rehuyen llamar «español» a la lengua que originariamente fue castellana, porque les resulta penosa la contraposición del «catalán» y el «español», como si el catalán no fuera español también. Este escrúpulo me parece respetable y simpático, pero escasamente fundado: no se trata de contraponer, sino de distinguir lo parcial y lo general. El catalán es ciertamente *una* lengua española —una lengua de España—, pero no es *la* lengua española; el español es también lengua de los catalanes, pero no *la* lengua catalana, que es precisamente el catalán. Lo decisivo es, con todo, el uso. Si es uso general de Cataluña decir «castellano», nada hay que objetar, a condición de no tomar *en serio* esa denominación y no proyectar sobre ella lo que su literalidad diría: que sea la lengua «de Castilla», que sea la lengua de una porción de España distinta de Cataluña; que no sea, en suma, también de esta.

* * *

Cuando se entra en un contacto con Cataluña más cercano de lo que es frecuente en otras regiones españolas, se tienen algunas sorpresas. Por ejemplo, la vivacidad que entre los catalanes —sospecho que sobre todo en las minorías intelectuales— tienen las provincias perdidas por España en la paz de los Pirineos, en 1659, concretamente el Rosellón y parte de la Cerdaña. A muchos catalanes les parece increíble que se pueda «celebrar» la paz de los Pirineos, que no se sienta en carne viva la segregación de tierras que sienten como catalanas. Hay que reconocer que los demás españoles han «olvidado» el Rosellón y la Cerdaña, y que si su pérdida fue una vez una herida, hoy está completamente cicatrizada. Los catalanes sienten esto como una falta de patriotismo, y es posible que tengan razón; pero es un hecho, y lo mejor es tomarlo en serio y tratar de comprenderlo, porque puede explicar algunas cosas.

· Cuando un catalán cruza la frontera y llega a Perpiñán, tiene la impresión de que sigue *en Cataluña*. Cuando un español de otra región entra en la misma ciudad, se siente *en Francia*. ¿Cuál de los dos tiene razón? Creo que ambos. Perpiñán es catalán y francés; Gerona es catalana y española. Entonces —se dirá—, ¿dónde está Cataluña? Creo que se trata de una cuestión de «niveles». Cataluña es una realidad que existe a un nivel histórico-social distinto que Francia o España, por una parte, que las ciudades, por otra. Cuando se dice que Séneca era español, o que lo era Trajano, esto no puede tomarse en serio; pero yo insisto en que el primero era cordobés y el segundo sevillano, y esto no es una broma. Cordobeses eran también Averroés y Maimónides, y ninguno de ellos era español, ni romanos como Séneca o Lucano. Si nos trasladamos a otra esfera, es indudable que Buenos Aires está en algún sentido más próxima a mí que Barcelona, ya que en aquella ciudad se habla íntegramente español, y en Barcelona se habla más aún catalán, y el español es mi lengua; pero en otro sentido, desde otra perspectiva, Barcelona es incomparablemente más cercana, más «mía» que Buenos Aires. El escritor austriaco se siente sin duda perteneciente a la comunidad lingüística alemana, y lo mismo le pasa al suizo de Berna o Zürich, pero su notoria vinculación a la *literatura* alemana no les impide conocerse como irreductiblemente austriaco o suizo, en modo alguno alemán.

En cierto nivel, el Rosellón y Lérida son «lo mismo», y es natural que sientan hermandad; pero mientras el Rosellón ha gravitado hacia Francia, Lérida ha gravitado hacia España; de hecho, históricamente —y el hombre *es* histórico— son respectivamente francés y española, subsistiendo en otro nivel una común catalanidad. ¿Quiere esto decir que Cataluña está «dividida»? Sí, pero no más que Suiza, en un sentido, o la comunidad de la lengua francesa o la alemana, o el mundo hispánico, en otro bien distinto. Con un pensamiento racionalista esto resulta confuso e inquietante; es «inexacto» y desorientador; pero es que la realidad humana *no es exacta,* y nada la falsea más que una presunta «exactitud» que no le pertenece. Lo histórico-social implica una pluralidad de planos y niveles, y todo ello en movimiento, y por eso sólo se deja comprender por la *razón histórica*. Mientras no se haga un uso a fondo de ella, no se podrá confiar en plantear adecuadamente los problemas humanos: políticos, históricos, sociales. Todo este libro no significa otra cosa que un intento sincero de aplicar la razón histórica a la realidad de Cataluña.

* * *

La razón sirve para aprehender la realidad en su conexión, y solo ella hace posible la proyección de nuestras vidas. Quiero decir con esto que tiene carácter proyectivo y futurizo, como la vida misma, y que si volvemos los ojos al pasado es para ver lo que somos —lo que hemos hecho y nos ha pasado, lo que nos hemos hecho— y poder proyectar auténticamente lo que hemos de ser en el futuro. Y el porvenir es reino de libertad. Con otras palabras, que seremos *lo que queramos,* aunque no «cualquier cosa» que queramos, sino dentro del repertorio de posibilidades que nuestra circunstancia —incluida la historia— define.

Si yo fuera quién, aconsejaría a los españoles, y en este momento sobre todo a los catalanes, que al proyectar se preguntaran en serio por las condiciones de viabilidad de sus proyectos. Cuando se piensa, un imperativo esencial es *seguir pensando* —Ortega me persuadió con incansable insistencia de esta norma—. La mayor parte de los «proyectos» que afloran hoy en España, tras un largo periodo de atrofia imaginativa, no resisten esa prueba: son meros conatos de proyecto, que no son capaces de *aboutir,* que no tienen en sí las condiciones para desenvolverse en concreto a lo largo del tiempo, teniendo en cuenta todos los factores que están realmente en juego. Son, en suma, utópicos, y ni siquiera tienen la virtud de las utopías: una rica y fértil fantasía exploradora.

Los españoles llevamos viviendo muchos siglos juntos; nos han pasado demasiadas cosas, las hemos hecho demasiado altas, para poder pensar que esa situación sea reversible. Pero España ha estado afectada con frecuencia por tensiones innecesarias, por desajustes, por enquistamientos en arcaísmos, por una extremosidad que acarrea siempre una violenta y duradera reacción, de manera que se oscila entre breves espasmos y largos marasmos. A fuerza de repetir con inercia algunos pomposos lugares comunes llenos de fatuidad, una gran parte de los españoles han venido a persuadirse en los últimos tiempos de que España es un país lamentable. A vueltas de una vanidad pueril y algunos gestos arrogantes, son muchos los catalanes que miran su historia particular con ojos y gestos de plañideras, que están convencidos de que Cataluña es un país oprimido, frustrado, fracasado. A pesar de que lo afirmativo tiene hoy mala prensa, llevo muchos años discrepando de estas maneras de ver las cosas. No puedo convencerme de que España sea cosa de poca monta, y cuando la comparo con otras naciones y otras culturas, a las que miro con profundo amor e interés, el resultado es con frecuencia alentador. Siempre me ha molestado el nacionalismo en todas sus formas. Tengo un modesto patriotismo castellano, otro, mucho más intenso, español, abarcador de todo lo que nuestra nación encierra;

muchas veces he hablado, y algunas he escrito, de un «patriotismo europeo» que siento con particular viveza; me siento, por último, radicalmente occidental, hasta el punto de que me repugna ese reciente «europeísmo a ultranza» de los que nunca se han interesado por Europa, ese europeísmo excluyente —tan antieuropeo, tan infiel a lo que siempre ha sido Europa.

España me parece una decisiva, irrenunciable posibilidad europea y occidental, con un puesto inalienable en la posible orquesta de Occidente. Cataluña me parece una pieza indispensable y valiosa de España, destinada a un papel original en su vida, y para ello es necesario que sea íntegra y plenamente catalana y que recobre, junto a sus virtudes, una que hace mucho tiempo perdió —si es que alguna vez la tuvo—: la holgura. Es menester que los demás españoles la hagamos posible —hoy por hoy no lo es, y es de elemental honestidad reconocerlo—; es menester además que los catalanes la quieran de verdad, que no se identifiquen con una imagen lacrimosa o resentida de sí mismos, que estén dispuestos a proyectarse, tan pronto como puedan, con entusiasmo, generosidad y brío, intentando competir animosamente por la ejemplaridad española, dispuestos a procurar ser *los mejores* de todos, no algo aparte, distinto y que no se cotiza en el mercado abierto. No tengo que añadir que deseo la misma actitud de todos los españoles; si así fuera, yo miraría con esperanza y buen ánimo el porvenir común.

Y, para concluir este epílogo en que he intentado reconstruir un largo y fraternal diálogo con muchos

174

catalanes, me permitiría hacer a estos una advertencia. Cuando, en sus conversaciones con otros españoles, encuentren en estos una ilimitada «comprensión», cuando todo lo que dicen les parezca bien y no encuentren objeciones que hacer, cuando todas las reivindicaciones les parezcan pocas, cuando escuchen sin pestañear y complacidos formulaciones extremadas que pongan en tela de juicio la unidad española o admitan la posibilidad de que Cataluña dejara de ser un miembro vivo de España, desconfíen. Porque a esos españoles no les importa Cataluña, y sólo quieren tener, para algún propósito menor e inmediato, la aquiescencia de algunos grupos catalanes, a los que se proponen utilizar de alguna manera. El español a quien le importa Cataluña quiere su perfección, quiere su plenitud, quiere que sea fiel a su destino, y que lo tenga henchido y lleno de futuro. Y, además, está dispuesto a todo menos a una cosa: a renunciar a ella, a despedirse con indiferencia de lo que siente como su propia carne, fundida en un milenio de altas empresas y crueles fracasos, de amistad y desvío, de ternura e injusticia, de admiración y rivalidad, de amor y dolor.

Madrid, marzo de 1966.

OTRA VEZ CATALUÑA

Apéndice a la edición de
1974

Consideración de Cataluña apareció originariamente
en «El Noticiero Universal» —en aquel que dirigía mi
fraternal amigo don José María Hernández—, en los
últimos meses de 1965. En forma de libro, unos meses
después, ya en 1966. Han pasado ocho años; no demasiado tiempo, pero han sido unos años densos, preñados
de cambios, unos promisores, otros inquietantes. En
Innovación y arcaísmo me he ocupado, precisamente,
del drama histórico que se está librando desde las fe-
chas de mi estudio sobre Cataluña.

¿Han cambiado las cosas en Cataluña desde entonces? Por supuesto; pero, sobre todo, ha cambiado España entera, y lo que es más importante: ha cambiado
el mundo. Y estas variaciones repercuten sobre la realidad catalana.

Escribir —libre, verazmente— sobre Cataluña en 1965,

179

diciendo con el mayor rigor lo que veía y pensaba, era arriesgado en más de un sentido; era posible que trajera consecuencias enojosas, no ya para el autor, sino para las realidades sociales a que pertenecemos y nos envuelven. Debo decir que me complace haber escrito este libro, haber planteado con amplitud y lealtad, por primera vez en tanto tiempo, un problema apremiante y delicado. Cuando se habla de algo real, forzosamente se coincide en muchas cosas, sea cualquiera el punto de vista —siempre que sea de *vista* y no de invención, manipulación o suplantación—. Mis escritos tuvieron la virtud de que *se hablara* de Cataluña, de que se tratara de ella, se discutieran sus dificultades y sus posibilidades. No he de ocultar que hubo silencios significativos; que algunos catalanes relevantes no se dieron por enterados, no quisieron expresar su coincidencia o su discrepancia, adelantar una interpretación a la que por su figura estaban obligados. Pero, privada o públicamente, fueron muchos los que siguieron el diálogo, y he de citar como ejemplo principal a Maurici Serrahima, autor de un libro, *Realidad de Cataluña, respuesta a Julián Marías* (Aymá, 1967), tan noble y cordial, tan amistoso y dialogante, con tanta zona de acuerdo —quizás un 80 %— y un 100 % de concordia.

Pienso que el haber existido conversación, diálogo, discusión —es decir, pensamiento— en torno a Cataluña haya contribuido a que sus problemas se estén planteando de manera civilizada, constructiva, con holgura, con una dosis sorprendente de franqueza y veracidad. Si se tiende la vista por el mapa (el de España y otros más amplios), se ve que esto no es tan frecuente como debiera; y bien vale la pena.

La libertad de movimientos de Cataluña ha aumentado considerablemente; y más que porque haya habido cambios institucionales, o siquiera políticos, simplemente porque ha empezado a moverse, a vivir con una «naturalidad» que en mi libro echaba de menos. Y automáticamente han empezado a facilitarse las cosas, han perdido mucho de irreal, han cobrado perfil de cosas reales, tangibles, practicables. Sin que se haya «decidido» nada, sin acuerdo expreso y explícito, muchos problemas *se están resolviendo,* a diferencia de lo que sucede en otros lugares.

No todo, sin embargo, ha mejorado en estos años. Ciertos grupos intelectuales, quizá movidos por un oculto descontento —quiero decir de sí mismos y como intelectuales—, prefieren perpetuar la irrealidad. Es curioso cómo evitan la palabra «español»; según su temple, dicen «peninsular» —dejando fuera, no sólo a las Canarias, sino a Mallorca, Menorca y las demás islas Baleares—, o «celtíbero», o acaso «mesetario». Son los mismos que fingen desdeñar la literatura española —inferior a ninguna de las que han existido hasta ahora—, e incluso a la lengua —instrumento, si no me engaño, superior incluso a lo que se ha hecho con él—. (La lengua, por cierto, en que algunos escriben para hacerse traducir a un catalán mal poseído y quizá no muy bien amado, porque el buen amor no es excluyente ni hostil.)

Pero esto no tiene importancia, y no dejará huellas. En cambio sí la tiene, y mucha, un fenómeno acarreado por la reciente y modesta prosperidad económica de gran parte de los españoles. Gracias a ella, a las líneas de autobuses, a las compañías de turismo y, sobre todo, al automóvil familiar, un número enorme de españoles está conociendo y recorriendo España. Los catalanes, que desde hace doscientos cincuenta años han estado en la vanguardia de la prosperidad, un poco más que otros. Están tomando posesión física, visual, artística, alimenticia, convivencial, de España entera. En todas partes se ven coches y autobuses de matrícula catalana, y el catalán se oye, cada vez más, en todas las regiones españolas. De casi nada interesante hay estadísticas; me gustaría saber cómo ha aumentado en el último decenio el conocimiento que Cataluña ha alcanzado del resto de España. Y los catalanes están descubriendo esta verdad elemental: *que es suya toda,* que al viajar por la totalidad de la Península y sus Islas *siguen en casa.*

Esto me parece decisivo. Todo el amor de los catalanes a Cataluña y a todo lo catalán, empezando por la lengua, me parece admirable. Lo que me ha producido siempre un escalofrío ha sido que algunos catalanes no consideraran suyo todo lo español, que se sintieran «excluidos», que pensaran tener poco que ver con El Escorial o Toledo o Santiago o Córdoba o Bilbao; con Velázquez o Goya o Falla; con el Arcipreste de Hita o Fernando de Rojas o Cervantes o San Juan de la Cruz o Lope de Vega o Unamuno o Machado. Escalofrío, sobre todo, por esos mismos catalanes, increíblemente *despojados,* empobrecidos, robados —por unos y por otros, por todos los que en todas partes han contribuido a ello—. Si no me engaño, esto cada vez pasa menos; y si no hay algún tropiezo, si no comprometemos esa modesta prosperidad —tan humana, tan esencial para que vivamos como hombres europeos de fines del siglo XX—, si no recaemos en la manía —nombre griego de la locura—, muy pronto no será posible.

Dije en mi libro que las regiones españolas son muy varias, y que, además, son regiones en muy varios sentidos. Ni siquiera la condición regional de aquellas que además del español poseen otra lengua propia es homogénea —entre otras razones, porque esa posesión reviste grados y formas muy diversos—. Hoy lo estamos viendo con más claridad que nunca. Cataluña tiene una forma de instalación en España y una personalidad que no se puede asimilar al caso de Galicia o del País Vasco —ni al de Valencia—. Ninguna de estas formas histórico-sociales es identificable con la de Andalucía; pero, a su vez, Andalucía difiere profundamente de Aragón, de Asturias, de Castilla la Vieja.

Cada vez parece más urgente enfrentarse en serio con la realidad de España, sin trampa ni cartón —ni cartón piedra—. Hay que respetarla escrupulosamente: su variedad, sus distintos niveles, sus formas de articulación, sus conexiones múltiples e intrincadas, su radical unidad, no sólo de origen, sino proyectiva o, como gusto decir, *futuriza*. Sólo así podremos salir al altamar de la historia, renunciando de una vez al cabotaje. ¿Será posible que se contenten con él los descendientes de los geniales marinos catalanes, castellanos, vascos, andaluces que tomaron posesión del globo?

El mundo entero está en reconstitución. Las naciones son ilustres piezas insustituibles de Europa, pero ya no son suficientes; ni siquiera Europa entera se basta a sí misma, sino que sólo puede existir articulada con América, dentro de Occidente. La única soberanía posible es la que suelo llamar «soberanía compartida». A esta nueva estructura habrá de corresponder la interna de cada una de las naciones, por ejemplo, de esta España nuestra: la plena vivificación, hasta el máximo de fecundidad, creación, responsabilidad, iniciativa, integración.

En mi *Antropología metafísica* he escrito estas palabras: «El destino tiene que ser adoptado, aceptado, apropiado, hecho "mío"; no es objeto de elección, pero tiene que ser elegido; sólo así es rigurosamente destino personal o, con otro nombre, *vocación*».

Madrid, 1 de mayo de 1974.

JULIÁN MARÍAS

Nacido en Valladolid, 1914. Doctor en Filosofía (Universidad de Madrid). Miembro de la Real Academia Española y de la Real Academia de Bellas Artes de San Fernando. Ha sido miembro del Consejo Pontificio de la Cultura y Profesor Visitante en muchas Universidades de los Estados Unidos. Co-fundador (con Ortega) del Instituto de Humanidades en Madrid (1948-50).

Actualmente miembro del Colegio Libre de Eméritos, Presidente de la Fundación de Estudios Sociológicos (FUNDES), Vicepresidente del Instituto de Ciencias del Hombre, Doctor *honoris causa* por las Universidades de Buenos Aires, Tucumán (Nacional y Católica), Cuyo, Museo Social Argentino y Montevideo.

Autor de más de 50 libros, entre ellos:

'Historia de la Filosofía', 'Introducción a la Filosofía', 'Idea de la Metafísica', 'Biografía de la Filosofía', 'La estructura social', 'Generaciones y constelaciones', 'Antropología metafísica', 'Razón de la Filosofía', 'Mapa del mundo personal'.

'Miguel de Unamuno', 'Acerca de Ortega', 'Ortega: Circunstancia y vocación', 'Ortega: Las trayectorias', 'La Escuela de Madrid', 'La filosofía del P. Gratry', 'Problemas del cristianismo'.

'Los Estados Unidos en escorzo', 'Análisis de los Estados Unidos', 'Hispanoamérica', 'Imagen de la India', 'Israel: una resurrección', 'Los Españoles', 'La España posible en tiempo de Carlos III', 'Ser español', 'Nuestra Andalucía', 'CONSIDERACIÓN DE CATALUÑA', 'La España real', 'La devolución de España', 'España en nuestras manos', 'Cinco años de España', 'La libertad en juego', 'España inteligible'.

'La mujer en el siglo XX', 'La mujer y su sombra', 'Breve tratado de la ilusión', 'La felicidad humana', 'Cervantes clave española', 'La educación sentimental', 'Una vida presente' (Memorias, 3 vols.)

Obras (Revista de Occidente, vols. I-X).

(Traducciones al inglés, portugués, francés, alemán, italiano y japonés.)

Libros sobre Julián Marías:

Juan Soler Planas: El pensamiento de Julián Marías. Harold Raley: Responsible Vision: The Philosophy of Julián Marías (Tr. esp. La visión responsable, Espasa-Calpe). Antón Donoso: Julián Marías (Twayne Publishers). Ana María Araujo de Vanegas: La Antropología filosófica de Julián Marías. Domingo Henares: Hombre y sociedad en Julián Marías.